DEPOIS DE 500 ANOS:

QUE BRASIL QUEREMOS?

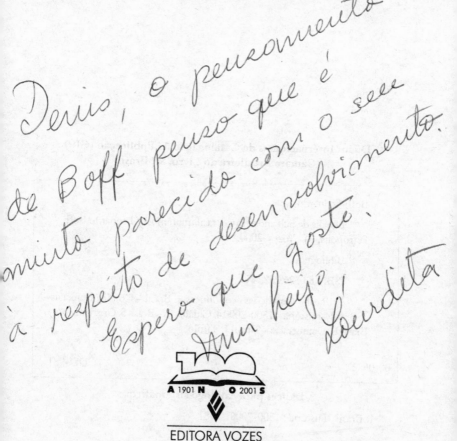

Denis, o pensamento
de Boff penso que é
muito parecido com o seu
à respeito de desenvolvimento.
Espero que goste.
Um beijo
Lourdita

A 1901 N O 2001 S

EDITORA VOZES

Dados Internacionais de Catalogação na Publicação (CIP)
(Câmara Brasileira do Livro, SP, Brasil)

Boff, Leonardo

    Depois de 500 anos : que Brasil queremos? / Leonardo Boff. –
Petrópolis, RJ : Vozes, 2000.

    Bibliografia.

    ISBN 85.326.2328-X

    1. Brasil – Condições econômicas 2. Brasil – Condições sociais
3. Brasil – História – 1500-2000 4. Cidadania – Brasil 5. Cristianismo –
Brasil 6. Democracia – Brasil I. Título.

00-0671   CDD-981

Índices para catálogo sistemático:

1. Brasil : História : 1500-2000   981

Leonardo Boff

DEPOIS DE 500 ANOS:
QUE BRASIL QUEREMOS?

EDITORA
VOZES

Petrópolis
2000

© by Leonardo Boff

Direitos para a edição brasileira:
Editora Vozes Ltda.
Rua Frei Luís, 100
25689-900 Petrópolis, RJ
Internet: http://www.vozes.com.br
Brasil

Editoração e org. literária: Renato Kirchner
Edição de arte e capa: Leonardo Monteiro de Miranda

ISBN 85.326.2328-X

Este livro foi composto e impresso pela Editora Vozes Ltda.

A Lula, Vicentinho, João Pedro, José Rainha e às suas companheiras que juntos constroem o projeto do novo Brasil.

Sumário

Introdução, 11

I – Três leituras dos 500 anos de Brasil, 13
  1. O Brasil visto a partir da praia: a invasão, 15
  2. O Brasil visto a partir das caravelas: o descobrimento, 18
  3. O Brasil visto a partir do Brasil: a invenção, 19

II – Mundialização, soberania nacional e cidadania, 23
  1. A globalização: novo patamar da humanidade, 25
  2. O Brasil na encruzilhada: prolongar a colonização ou completar a invenção?, 26

III – As quatro invasões que estigmatizaram a história do Brasil, 29
  1. As quatro invasões do Brasil, 31
  2. A globalização e o submetimento do Brasil, 34

IV – A herança de exclusão na história do Brasil, 37
  1. "Deitado eternamente em berço esplêndido", 39
  2. Da dependência à prescindência, 41

V – A cultura dividida: da dominação à libertação, 43

   1. As várias culturas no Brasil, 45

   2. Cidadania popular e novo projeto-Brasil, 48

VI – Cidadania, con-cidadania, cidadania nacional e cidadania terrenal, 49

   1. Dimensões da cidadania, 51

   2. Cidadania e projetos-Brasil, 53

VII – Projetos políticos e modelos de cidadania, 55

   1. Projeto neoliberal de mundialização via mercado: cidadania seletiva, 57

     a) A globalização econômica: integração e exclusão, 57

     b) A ideologia política do neoliberalismo, 58

     c) O Brasil, sócio agregado da globalização econômica, 59

     d) Uma cidadania seletiva, 61

   2. Projeto do capitalismo nacionalista: cidadania menor, 63

     a) Construir o Brasil de dentro para fora, 64

     b) Uma cidadania menor, 65

   3. Projeto da democracia social e popular: cidadania plena e con-cidadania, 67

     a) Construir o Brasil de baixo para cima e de dentro para fora, 67

     b) Contribuição ecológica do Brasil ao mundo globalizado, 71

     c) Cidadania maior e plena, 73

VIII – Desenvolvimento social, democracia integral e educação libertadora, 75

    1. Novo paradigma de desenvolvimento, 78

    2. Construção da democracia integral, 79

    3. Educação da práxis, 81

IX – O papel dos aliados: articular a inteligência com a miséria, 85

    1. A dívida social da *intelligentzia* brasileira, 88

    2. Encontro da universidade com a sociedade, 89

    3. O desafio: gestar o povo brasileiro, 91

    4. A troca de saberes, 92

    5. A projeção de um horizonte utópico, 93

X – Brasil: a Roma tropical?, 95

    1. O espírito como dimensão objetiva do real, 97

    2. Espiritualidade como dimensão do profundo humano, 99

    3. O povo brasileiro: um povo místico e religioso, 100

    4. A originalidade do cristianismo popular, 102

    5. A contribuição civilizatória das religiões afro-brasileiras, 103

    6. Brasil: a nova Roma dos trópicos?, 104

XI – A contribuição do Brasil ao processo de globalização, 109

    1. A nova centralidade: o futuro do Planeta, 111

    2. As contribuições do Brasil à globalização, 112

Conclusão: A viabilidade do caminho alternativo brasileiro, 123

Referências bibliográficas, 125

Introdução

A celebração dos 500 anos de Brasil, visão imposta pelos que nos colonizaram e assumida pela oficialidade pública, propicia balanços de distinta natureza, dentre os quais sobressaem os de natureza histórica. O nosso ensaio, tomando em conta a perspectiva do passado, se concentra, fundamentalmente, na visão do futuro.

Por que esta opção? Porque pertencemos ao grupo dos que não estamos satisfeitos com o Brasil que herdamos do passado. Ele é demasiadamente perverso para a grande maioria de sua população. Podemos construir um outro Brasil, o Brasil de outros quinhentos, não a partir de fantasias mirabolantes, mas das virtualidades presentes em nossa história e dos sonhos dos que vieram da grande tribulação, resistiram e se mobilizaram para a libertação. Esses sonhos povoam o imaginário social e sustentam a prática de milhões de brasileiros que militam nos grupos de base, nas centenas de movimentos sociais, nos meios de intelectuais críticos e éticos e de artistas ligados às nossas raízes, em partidos de raiz libertária e popular ou em políticos progressistas nas igrejas comprometidas com os pobres e contra a sua pobreza, na teologia ecumênica da libertação, entre outros.

Todos eles levantam continuamente a questão: Que Brasil, finalmente, queremos? Como vamos construí-lo a partir de nossas organizações, de nossas práticas, de nossas lutas e da solidariedade dos aliados? Que cristianismo novo queremos dentro desse Brasil novo?

As presentes reflexões maduraram ao longo de mais de trinta anos de pensamento, de discussão e de militância no interior de tais grupos, portadores da utopia de um Brasil diferente, no qual todos podem caber e do qual nos podemos orgulhar*.

O presente texto, escrito na perspectiva de uma anticelebração dos quinhentos anos, procura reforçar os companheiros e companheiras de sonho, de luta e de caminhada. O Brasil tem tudo para dar certo. Caso se realize o projeto-Brasil no horizonte deslindado nestas páginas, poderá ser, dentro do processo de globalização, uma pequena amostra do que seria a futura humanidade, convivendo na casa comum-Terra, com capacidade de ser mais justa, mais solidária, mais democrática, mais espiritual, mais integradora e mais feliz. Por isso estamos cheios de esperança.

Que Deus nos ajude nessa tarefa bem-aventurada.

Petrópolis, verão de 2000.

---

* A primeira feição resumida deste texto foi apresentada ao Fórum de Pró-Reitores de Extensão das Universidades Públicas Brasileiras em 1994 e em seguida publicada pela UERJ.

I

Três leituras dos 500 anos de Brasil

Pode-se considerar os 500 anos de Brasil a partir de três perspectivas principais: a partir da praia, onde estavam os indígenas na chegada dos europeus; a partir das caravelas dos europeus que aqui aportaram e conquistaram; e a partir do Brasil-nação como resultado da miscigenação de raças e culturas que aqui se encontraram e para cá vieram e que num processo histórico-social complexo inventaram o Brasil moderno.

1. O Brasil visto a partir da praia: a invasão

Visto a partir da praia, onde estavam as populações originárias, a chegada dos portugueses significou uma invasão. Eles ocuparam as terras, submeteram os indígenas e construíram não uma nação autônoma mas um entreposto comercial e depois uma colônia para enriquecer a metrópole. O impacto foi tão grande que significou uma dizimação da população indígena até seu quase-extermínio, um desastre de proporções inimagináveis.

O assim chamado "descobrimento" equivaleu a um encobrimento e a um apagamento do outro, da história dos povos originários do Brasil e da África. Também não significou um "encontro" de culturas, como os conquistadores de outrora procuram hoje escamotear a violência de sua invasão. O que de fato ocorreu foi um imenso desencontro, um verdadeiro choque de civilizações com o submentimento completo dos indígenas e negros mais fracos.

O *Manifesto da Comissão Indígena 500 anos* (1999), expressando o clamor de 98 diferentes povos originários, denunciaram com veemência: "Os conquistadores chegaram com fome de ouro e sede de sangue, empunhando em uma das mãos armas e na outra a cruz, para abençoar e recomendar as almas de nossos antepassados, o que daria lugar ao desenvolvimento, ao cristianismo, à civilização e à exploração das riquezas naturais. Estes fatores foram determinantes para o extermínio de nossos antepassados... O dia 22 de abril de 1500 representa a origem de uma longa e dolorosa história... Afirmamos nossa divergência clara e transparente com relação às comemorações festivas do V centenário, por atentar e desrespeitar nossos antepassados, mortos em defesa de seus filhos, netos e gerações futuras. E por negarem nosso direito à vida como povos culturalmente diferenciados... Pretendemos, sim, celebrar as conquistas ao longo dos séculos, plenas de heróis anônimos, que a história se nega a reconhecer. Celebramos, sim, as vitórias que nos custaram tantas vidas e sofrimentos, mas que trouxeram a determinação e esperança de um mundo mais humano, de solidariedade. Celebraremos também o futuro, herdeiros que somos de um passado de valorização da vida, de ideais, de sonhos deixados por nossos antepassados. Apesar das desigualdades e injustiças, estamos cientes da importância de contribuir para a consolidação de uma humanidade livre e justa, aonde índios, negros e brancos vivam com dignidade" (*Jornal do Brasil* de 31 de maio de 1999).

O que poderíamos esperar dos ibéricos que durante quinze séculos passaram pela educação cristã? Que ao verem aquelas belas pessoas na praia, espreitando gaiamente a chegada das caravelas, exclamassem: "Ótimo! Fantástico! Descobrimos mais irmãos e irmãs. Vamos abraçá-los e beijá-los como membros da grande família de Deus, representantes diferentes do corpo místico do Cristo". Ao invés disso, a primeira coisa que Colombo fez foi seqüestrar um índio e levá-lo de amostra, como se fosse um papagaio raro para exibi-lo nas cortes e salões de Portugal e Espanha; logo após, chegaram a negar-lhes a humanidade e, apesar de sua inocência e bondade natural, atestadas pelos primeiros missionários, consideraram-nos faltos de salvação e presas de satanás. E os subjugaram e os batizaram sob medo. Alguma coisa falhou no processo de evangelização dos europeus, notadamente dos espanhóis e dos portugueses, impedindo que ocorresse verdadeiramente um encontro de pessoas e de culturas. O que houve foi uma negação pura e simples da reciprocidade.

A partir desta perspectiva, os 500 anos oferecem pouco a celebrar e muito a lamentar. Mais que uma celebração, os estados colonialistas e as elites dominantes deveriam promover um rito penitencial de desculpa e de pedido de perdão pelos flagelos infligidos aos que aqui estavam desde tempos imemoriais. Objetivamente, os 500 anos recordam os 500 anos da cultura-mundo e da economia-mundo capitalistas, no máximo o começo da globalização da história da humanidade, que chegou ao seu apogeu nos dias atuais. Na nossa perspectiva, significa o começo da "Destruição das Índias" (Bartolomé de las Casas), o início do genocídio indígena e o princípio da destruição de um dos mais belos e luxuriantes ecossistemas da Terra, a Mata Atlântica que recobria um milhão de quilômetros quadrados ao longo do litoral brasileiro, restando hoje menos de 8% da floresta originária, pouco mais de 86 mil quilômetros quadrados.

2. O Brasil visto a partir das caravelas: o descobrimento

Esta perspectiva celebra os 500 anos como uma grande façanha, o descobrimento do Brasil. Na ótica desta leitura, ele começou a existir a partir de sua ocupação pelos europeus; antes era a fase da barbárie, superada pela introdução da civilização européia. Na perspectiva dos invasores, o Brasil representa parte do mundo ocidental (Extremo Ocidente), participando de seu destino. Eles têm razões de celebrar sua conquista e a reprodução de uma cultura-espelho nos trópicos que mimetiza e reproduz os padrões civilizatórios (e anticivilizatórios, acrescentamos nós) dos centros metropolitanos, dos quais são dependentes e associados, que tanto podia ser Portugal e Espanha, depois a Inglaterra e a França, quanto são nos dias atuais os Estados Unidos da América do Norte. Mas não esqueçamos que o descobrimento implicou num dramático encobrimento do outro e um ato de violência contra ele, bem expressa nos versos de nosso poeta maior Carlos Drummond de Andrade: "A civilização que sacrifica povos e culturas antiqüíssimas é uma farsa amoral".

3. O Brasil visto a partir do Brasil: a invenção

Apesar da vontade das classes dominantes de manter o Brasil sempre atrelado ao jogo da dependência e da associação aos poderes mundiais, criou-se aqui, ao longo dos cinco séculos, um experimento civilizacional singular. Raças vindas de todas as partes do mundo, tradições culturais e espirituais de várias procedências aqui se miscigenaram com grande espontaneidade e sem maiores preconceitos. No dizer do historiador José Honório Rodrigues, "somos uma república mestiça étnica e culturalmente. Não somos europeus nem latino-americanos. Somos tupinizados, africanizados, orientalizados e ocidentalizados. A síntese de tantas antíteses é o produto singular e original que é o Brasil atual" (*Brasil e África: outro horizonte*, Vozes, Petrópolis 1982, 14).

Deste caldo está surgindo uma nação inventada por nós mesmos, com características singulares que poderão ajudar na configuração da sociedade mundial no século XXI.

Uma perversa contradição, entretanto, cinde o Brasil de cima para baixo: a injusta distribuição de renda. Por um lado, temos uma das economias mais dinâmicas do mundo (ficamos atrás apenas dos sete grandes); por outro, apresentamos índices de miséria e de exclusão, portanto de injustiça social, entre os maiores do mundo. Sendo um país continental e de infra-estrutura industrial desenvolvida, o perfil da distribuição de renda é comparável à dos pequenos países como a Guatemala, Honduras ou Serra Leoa. Segundo relatório do Banco Mundial, o Brasil é o país com o maior grau de concentração de renda do mundo. Os 10% mais ricos têm quase a metade da renda (48%) e os 20% mais pobres detêm apenas 2%. Nosso 1% dos mais ricos é mais aquinhoado proporcionalmente que o 1% mais rico dos USA e da Inglaterra. Esses índices se deterioraram nos anos 90 com a crise da economia brasileira, articulada com a crise do sistema financeiro mundial.

O Brasil tem tudo para dar certo como nação, com projeto autônomo e articulado com o processo de globalização. A história do século XX o demonstra. Nos anos vinte, éramos um país agrícola com 70% da população morando no campo e apenas 30% nas cidades. Nos anos noventa, 70% da população reside nas cidades e 30% no campo. O crescimento foi fantástico, fazendo do Brasil o país com melhor base industrial do Terceiro Mundo, com capacidade empresarial, condições técnicas, conhecimento e meios para enfrentar novos desafios. Com razão reconhecia um dos melhores formuladores da utopia-Brasil, Cristovam Buarque: "O Brasil é o país onde pode surgir uma nova alternativa. Porque nenhum outro país carrega com tanta intensidade a dimensão da tragédia global da humanidade. Por isso mesmo carrega todas as pressões políticas e morais para sair em busca de alternativas" (*A segunda abolição*, Paz e Terra, Rio de Janeiro 1999, 37).

Depois de quinhentos anos, que Brasil queremos? Como construí-lo? As reflexões aqui propostas não são sobre conjuntura, mas sobre fundamentos e sobre as precondições para um projeto-Brasil. Mais que celebrar 500 anos da europeização dessas terras de pau-brasil, querem reforçar e prolongar a terceira leitura dos 500 anos, a invenção do Brasil por nós mesmos.

II
Mundialização, soberania nacional e cidadania

Se queremos construir e reinventar o Brasil sobre bases mais amplas devemos tentá-lo no contexto novo em que se encontra a história da humanidade. Fora dele estaríamos alienados e batalharíamos em vão. Este contexto é constituído pela globalização.

1. A globalização: novo patamar da humanidade

Depois de milênios de exílio, longe da casa comum, os povos, finalmente, começam a regressar a ela. Todos se encontram, como se fora num único lugar, no planeta Terra. Cada povo traz sua experiência histórica, seus valores e antivalores e seus acertos e equívocos. Todos começam a intercambiar tudo, pois entendem que tudo é produto do ser humano, de sua criatividade e de suas virtualidades. Agora começa efetivamente a verdadeira história da humanidade como espécie unificada na diversidade.

Entretanto, temos de superar um perigoso obstáculo que é a forma atual como se processa hegemonicamente a globalização, pela economia capitalista competitiva e parcamente cooperativa. É a idade da pedra lascada da globalização que, se não impede outras formas como a política, a cultural e a espiritual, pode limitá-las consideravelmente. Caso não passarmos para formas mais benevolentes de globalização, corremos o risco de grandes devastações da biosfera e de comprometimento do futuro do nosso tipo de humanidade.

Cada país é chamado a dar a sua contribuição nessa ingente tarefa de construção do coletivo global, sem renunciar à sua própria identidade, à soberania e à construção de um projeto nacional, articulado com o projeto-Terra. A cidadania significa, como veremos detalhadamente mais à frente, a capacidade de um povo e dos cidadãos de moldarem seu próprio destino (cidadania nacional), em consonância com o destino comum da humanidade e da Terra (cidadania terrenal). E temos a confiança de que o Brasil pode colaborar em muito numa globalização humanizadora. Mas para isso precisamos equacionar nossas próprias contradições internas.

2. O Brasil na encruzilhada: prolongar a colonização ou completar a invenção?

Observador atento de todos esses processos, especialmente das transformações da economia mundial e brasileira, Celso Furtado escreveu em seu livro *Brasil: a construção interrompida*: "Em meio milênio de história, partindo de uma constelação de feitorias, de populações indígenas desgarradas, de escravos transplantados de outro continente, de aventureiros europeus e asiáticos em busca de um destino melhor, chegamos a um povo de extraordinária polivalência cultural, um país sem paralelo pela vastidão territorial e homogeneidade lingüística e religiosa. Mas nos falta a experiência de provas cruciais, como as que conheceram outros povos cuja sobrevivência chegou a estar ameaçada. E nos falta também um verdadeiro conhecimento de nossas possibilidades e, principalmente, de nossas debilidades. Mas não ignoramos que o tempo histórico se acelera e que a contagem desse tempo se faz contra nós. Trata-se de saber se temos um futuro como nação que conta na construção do devenir humano. Ou se prevalecerão as forças que se empenham em interromper o nosso processo histórico de formação de um Estado-nação" (Paz e Terra, Rio de Janeiro 1993, 35).

A sociedade brasileira dos últimos anos atingiu um estágio crítico, como nunca antes em nossa história. Agora parece que tudo está em jogo: ou aproveitamos a oportunidade e garantimos nosso futuro autônomo e relacionado com a totalidade do mundo, ou a desperdiçamos e viveremos atrelados ao destino decidido por outros, omitindo-nos a dar uma colaboração singular ao futuro comum da humanidade.

Esse é o desafio lançado de forma urgente a todas as instâncias sociais: ajudam elas na invenção do Brasil como nação soberana, repensada nos quadros da nova consciência planetária e do destino comum do sistema-Terra? Poderão elas ser co-parteiras de uma cidadania nova – a con-cidadania e cidadania terrenal – que articula o cidadão com o Estado, o cidadão com o outro cidadão, o nacional com o mundial, a cidadania brasileira com a cidadania global, ajudando assim a moldar o devenir humano? Ou elas se farão cúmplices daquelas forças que já não estão interessadas na construção do projeto-Brasil, para reforçar o projeto-mundo globalizado, pelos benefícios que dele auferem?

A situação é urgente, pois, como advertia pesaroso Celso Furtado: "tudo aponta para a inviabilização do país como projeto nacional" (*op. cit.*, 35). Mas não queremos aceitar como fatal esta severa advertência. Não devemos reconhecer as derrotas antes de travar as batalhas. Ainda há tempo para mudanças que podem reorientar o país para o seu rumo certo. É a nossa crença que motiva nossas reflexões esperançadoras.

Vejamos, antes de mais nada, os impasses que enfrentamos.

III

*As quatro invasões que estigmatizaram
a história do Brasil*

Nossa história pátria vem marcada por uma herança de exclusão que estruturou nossas matrizes sociais. Criou-se aqui, desde os nossos primórdios, um sujeito histórico de poder, sempre articulado transnacionalmente, que se mantém sem ruptura até os dias de hoje, onerando poderosamente a invenção de uma nação soberana. Como observou José Comblin, teólogo e analista cultural belga que adotou o Brasil como sua pátria e seu campo de reflexão religiosa e social, somos vítimas de quatro invasões sucessivas que inviabilizaram um projeto nacional autônomo, aberto às dimensões do mundo.

1. As quatro invasões do Brasil

A *primeira*, fundacional, ocorreu no século XVI com a colonização. Índios foram subjugados ou mortos, escravos foram trazidos da África como carvão para a máquina produtiva. Paralisou-se um processo civilizatório autônomo pela imposição da cultura dos invasores europeus. Inaugurou-se uma mentalidade subjacente aos governantes, ao patriciado e às instituições oficiais: usar o poder como violência dura sobre os insubordinados, ou a violência doce do assistencialismo e do paternalismo aos subordinados, produzindo sempre dependência e o caráter não sustentado de qualquer iniciativa popular.

A *segunda* invasão se deu no século XIX. Milhares de emigrantes europeus (italianos, alemães, espanhóis, poloneses, suíços e outros), sobrantes do processo de industrialização de seus países de origem, para cá foram extrojetados, aliviando a pressão revolucionária que pesava sobre as classes industriais exploradoras. Foram vistos pelos índios, negros e pobres que aqui já estavam como os novos invasores. Seus descendentes, logo incorporados ao projeto das classes senhoriais, criaram zonas prósperas, especialmente no sul do país, muitas vezes com a espoliação das terras indígenas e com a exploração da força de trabalho barata dos negros e mestiços, despreparados para o novo patamar de desenvolvimento.

A *terceira* invasão ocorreu nos anos trinta do século XX e foi consolidada nos anos sessenta com a ditadura militar. Introduziu-se a industrialização moderna de substituição. Ela se deu em estreita associação com o capital transnacional e com tecnologias importadas. Por ela se radicalizou a lógica de nosso desenvolvimento dependente, voltado para fora, produzindo não o que o povo precisa, mas aquilo que os outros querem. De exportadores de matérias-primas, passamos a exportadores de manufaturados e, por fim, a exportadores de capital líquido. Exportamos nos últimos 20 anos

(1980-1999) mais de 200 bilhões de dólares. Segundo Marx, o grau mais alto no processo de espoliação de um povo acontece, quando este é forçado a exportar dinheiro dos próprios dominadores. Produzimos fundamentalmente para pagar os juros dos empréstimos e menos para as nossas necessidades.

Apesar desta contradição, esta fase foi determinante para o país. Pela primeira vez se tentou criar um sistema econômico nacional dinâmico e um Estado nacional forte e empreendedor que hegemonizasse semelhante processo. Isso durou cinqüenta anos, entre 1930-1980, quando criou-se um dinâmico mercado interno, a base mais sólida do desenvolvimento sustentado brasileiro.

Em tensão dialética com este esforço, elaborou-se também um outro projeto, representando as massas emergentes da cidade e do campo, que visava outro tipo de democracia social que liquidasse a herança de exclusão social e que tornasse possível um desenvolvimento com justiça social. Para derrotar esta proposta que encontrara ressonância no poder central do Estado sob o presidente João Goulart, as classes proprietárias deram um golpe de classe em 1964, utilizando o braço armado, sob a aparência de um golpe militar. Como conseqüência, o Brasil mergulhou decisivamente na lógica excludente do capitalismo transnacionalizado, enveredando por um caminho de alto risco em termos da construção de um processo auto-sustentado de desenvolvimento nacional e da construção coletiva da cidadania.

A *quarta* invasão se deu com a globalização econômica e com o neoliberalismo político a partir da inovação tecnológica dos anos 70 (informatização e comunicação) e da implosão do socialismo em meados dos anos 80, com a conseqüente homogeneização do espaço político-econômico dentro dos quadros do capitalismo mundialmente integrado. Tornamo-nos o quinto maior hospedeiro de empresas multinacionais do mundo, fazendo com que 35% de nossa indústria seja constituída por filiais de empresas estrangeiras. Fomos invadidos pela racionalidade da globalização econômica e pela política do neoliberalismo, chamada de modernização, elaborada nos interesses da nova fase de acumulação do capital agora a nível mundial, política gerenciada pelo FMI, pelo Banco Mundial, pelos megaconglomerados e pelo Grupo dos 7 países mais ricos do mundo.

2. A globalização e o submetimento do Brasil

Três são as palavras mágicas que traduzem esta política: ajustes estruturais (que implicam liberalização, privatização das empresas estatais, desregulamentação das atividades econômicas), abertura (ao mercado mundial) e estabilização econômica (combate à inflação). Tais medidas implicam em diminuição do Estado, considerado o grande obstáculo à mundialização da economia, no incentivo a todo tipo de privatização e na subordinação do projeto nacional à lógica e aos interesses do projeto-mundo arquitetado pela ordem e pela cultura do capital globalizado.

No sentido desta estratégia, procura-se aqui remodelar a economia de base industrial (com tecnologia convencional) para uma economia exportadora de produtos primários e importadora de produtos de tecnologia de ponta. Vigora forte pressão sobre as economias periféricas no sentido de se tornarem espaços abertos para a livre-concorrência das megacorporações mundiais. Todas querem estar em pé de igualdade no mesmo mercado regido apenas pelas próprias leis do mercado. Ora, a correlação de forças entre o mercado nacional e o mundial é absolutamente desigual. O Estado, encurtado e impedido de interferir no mercado, vê-se sem armas ao pretender tomar medidas político-econômicas que visam a construção da autonomia da nação e criar as condições para a cidadania. Há um confronto direto entre o projeto-nação brasileira e o projeto do mercado total.

O mercado global vê a construção e o fortalecimento do Estado nacional como um empecilho à sua expansão. Ele está fora do horizonte da política pensada globalmente. Neste projeto global o Brasil deve contentar-se com uma posição subalterna. Entretanto, a parte moderna e desenvolvida do Brasil (cerca de 30% da população) será integrada nos estratos mais avançados do consumo mundial. Por outro lado, cria-se aqui, inevitavelmente, e tolera-se sem maiores preocupações, uma perversa apartação social, envolvendo praticamente 2/3 da população. Seguindo esta lógica, o Brasil será enquadrado em sua posição subalterna e agregada. Mas há os que não aceitam esse destino. Há forças acumuladas capazes de moldar outro tipo de Brasil e fundar outros quinhentos anos.

IV
A herança de exclusão na história do Brasil

Todas estas invasões tiveram o mesmo efeito: a produção, a consolidação e o aprofundamento de nossa dependência, em razão da natureza colonial, neocolonial, escravista e sempre dependente de nossa formação histórico-social.

1. "Deitado eternamente em berço esplêndido"

Somos periferia de um centro que desde o século XVI nos mantém a ele atrelados. O Brasil não se sustenta, autonomamente, de pé. Ele jaz, injustamente, "deitado eternamente em berço esplêndido". A maioria da população é composta de sobreviventes de uma grande tribulação histórica de submetimento e de marginalização.

A casa grande e a senzala constituem os gonzos articuladores de todo o edifício social. A maioria dos moradores da senzala, entretanto, ainda não descobriu que a opulência da casa grande foi construída, com seu trabalho superexplorado, com seu sangue e com suas vidas absolutamente desgastadas. Essa alienação faz com que as massas empobrecidas não se rebelem; pior ainda, esperam a libertação como graça de seus opressores históricos e a cidadania, concedida pelo Estado elitista. Nunca houve uma ruptura libertadora que permitisse a emergência de um outro sujeito de poder, capaz de ocupar a cena histórica e moldar a sociedade brasileira de forma que todos pudessem caber nela. As elites em seu mimetismo ficam sempre ao lado do Governo, pouco importa qual for, para garantirem-se no poder e continuarem com seus privilégios. Isso faz com que o jogo nunca se mude, apenas embaralham-se diferentemente as cartas do mesmo e único baralho (veja Marcel Bursztyn, *O país das alianças. As elites e o continuísmo no Brasil*, Vozes, Petrópolis 1990).

Foi a política colonial que lançou as bases estruturais e culturais da exclusão no Brasil como foram mostradas classicamente por Sérgio Buarque de Holanda com o seu *A visão do paraíso*, por Caio Prado Jr. com seu *História da formação econômica do Brasil*, por Simon Schwartzman com seu *Bases do autoritarismo brasileiro* e por Darcy Ribeiro com o seu *O povo brasileiro*. Marilena Chauí resumiu sinteticamente o legado perverso desta herança: "A sociedade brasileira é uma sociedade autoritária, sociedade violenta, possui uma economia predatória de recursos humanos e naturais, convivendo com naturalidade com a injustiça, a desigualdade, a ausência de liberdade e com os espantosos índices das várias formas institucionalizadas – formais e informais – de extermínio físico e psíquico e de exclusão social, política e cultural" ("500 anos Cultura e política no Brasil", em *Revista Crítica de Ciências Sociais*, 38, 1993, 51-52).

Nunca fomos submetidos à prova, no dizer de Celso Furtado, para garantirmos nossa sobrevivência como nação que se quer independente. Mas esta prova maior, verdadeira ruptura instauradora, nos está sendo exigida no presente momento. É impostergável, pois a história ganhou uma qualidade nova, nunca antes havida, seu caráter mundial, interdependente e globalizado.

Como asseverávamos anteriormente, a mundialização está se operando mediante a universalização da ordem e da cultura do capital. Com a derrocada do socialismo do Estado-partido, a ordem capitalista se encontra absolutamente hegemônica no cenário da história, sem oposição ou alternativa imediata a ela. Mantém sob sua hegemonia também aquelas partes do Planeta que se inscrevem ainda dentro do ideário socialista como a China, que, para se adequarem à nova ordem, tiveram que introduzir transformações internas como o mercado, as várias formas de propriedade e a incorporação de altas tecnologias, produtoras de desigualdades sociais.

2. Da dependência à prescindência

Como nunca antes, a ordem e a cultura do capital mostram inequivocamente o seu rosto inumano, revelam a lógica perversa que as dominam internamente e que antes podiam ser escamoteadas a pretexto do confronto com o socialismo: criam, por um lado, grande riqueza e concentração de poder à custa da devastação da natureza, da exaustão da força de trabalho e de uma estarrecedora pobreza. A utilização crescente da informatização e da robotização dispensa o trabalho humano e cria os desempregados estruturais, hoje totalmente descartáveis. E somam-se aos milhões só nos países do Primeiro Mundo.

A lógica do mercado mundial, caracterizado por uma concorrência feroz, é profundamente vitimatória. Quem está no mercado, existe, quem não resiste, desiste, inexiste e deixa de existir. Os países pobres passam da dependência para a prescindência. São excluídos da nova ordem-desordem mundial e entregues à sua própria miséria como a África ou então incorporados de forma subalterna como os países latino-americanos, notadamente o Brasil.

Os incluídos de forma subalterna e marginal (utilizando tecnologias clássicas e ecologicamente sujas) assistem a um drama terrível. Vêem-se criar dentro deles ilhas de bem-estar material com todas as vantagens dos países centrais, atendendo de 10-15% da população ao lado de um mar de miséria e de exclusão das grandes maiorias que no Brasil alcançam entre 70 a 80 milhões, dos quais um boa parcela vive na mais completa indigência. Eis a perversidade do sistema do capital, um sistema de antivida. Não devemos poupar-lhe a dureza das palavras, pois a taxa de iniqüidade social, tanto para os próprios países do assim chamado Primeiro Mundo quanto para os mantidos no subdesenvolvimento, apresenta-se avassaladora e insustentável para um senso de humanidade e de ética mínimos. Uma razão a mais para nos convencermos de que não há futuro para o Brasil inserido desta forma na globalização econômico-financeira, excludente e destruidora da esperança. Há que se buscar um outro caminho, uma opção brasileira diferente e alternativa.

V

A cultura dividida: da dominação à libertação

Esse quadro histórico conflitivo e contraditório produziu no Brasil uma cultura a ele adequada, dividida, contraditória e também, paradoxalmente, esperançadora. Existem várias expressões culturais convivendo sincronicamente:

1. As várias culturas no Brasil

Há a *cultura da dominação* que é pura reprodução de valores, hábitos, gostos, saberes, tecnologias daqueles povos e centros de poder que nos subalternizaram e subalternizam. Criam-se então subjetividades coletivas, hipnotizadas por tudo o que vem dos centros metropolitanos, que nada tem a ver com o nosso meio eco-social. Elas têm um soberano desprezo pelo povo, considerado como a expressão do atraso e da incultura. Têm vergonha de nossa língua e de sua literatura desde a popular até a erudita. São as classes ociosas e desfrutadoras que nunca trabalharam e viveram sempre dos privilégios e da exploração. Para elas o trabalho é tortura (o sentido originário de trabalho = *tres palium* = chicote feito de três paus), coisa para gente pobre, negros, escravos e gado.

Há a *cultura de mimetismo*: ao invés de criação existe imitação servil e adaptação subtropical da cultura dos outros. Não pensamos com nossa própria cabeça, mas pensamos com a cabeça dos outros. Não buscamos nossas próprias raízes, mas sugamos parasitariamente das fontes dos outros, ignorantes das virtualidades de nossa língua, da complexidade de nossa história e da criatividade de nosso povo. Isso se manifesta até nas modas literárias, filosóficas e no estilo de consumo de produtos tecnológicos importados. A meca desta classe é Miami e Orlando nos USA.

Tanto a cultura da dominação quanto a do mimetismo são hegemônicas nos setores dominantes da sociedade. Eles dominam o espaço público da comunicação e conseguem introjetar-se na cultura popular. Esta se apresenta cindida entre os elementos antipopulares presentes no popular e os elementos autenticamente populares que traduzem a vida e a luta do povo. Tal constatação demanda permanentemente um discernimento crítico para não cairmos no populismo e para reforçarmos as matrizes populares da cultura.

Há *a cultura da resistência* dos oprimidos, que expressa o esforço dos excluídos, dos trabalhadores explorados, dos negros, dos indígenas, das mulheres, dos movimentos sociais populares para resistir à dominação interna e externa. Mesmo tendo que incorporar elementos da cultura dominante, a cultura de resistência se constrói a partir da identidade destes atores sociais que preservam, na sua resistência e protestação, a energia originária fundamental para a gestação de um povo independente.

Há a *cultura da libertação*, própria dos setores dominados que romperam com o paradigma da resistência e do ajustamento forçado e avançaram na criação de uma nova consciência de libertação, com a convicção de serem um sujeito histórico novo, com projeto alternativo e com práticas inovadores.

No século passado, século XX, importante para essa nova consciência foi a Semana de Arte Moderna de 1922 (emblemático é o famoso "tupi or not tupi that's the question", de Oswald de Andrade) e, a partir dos anos 60, o surgimento da música popular brasileira, do cinema novo, da arte de vanguarda, da pedagogia do oprimido, dos movimentos estudantis libertários e dos inícios da teologia da libertação com bispos proféticos de ressonância mundial como Dom Helder Câmara e Cardeal Dom Paulo Evaristo Arns.

Em todos esses grupos e nos movimentos sociais que se contam às centenas no Brasil, desde as lavadeiras, quebradores de coco, movimentos negros, povos da floresta, especialmente o movimento dos sem-terra e sem-teto até os sindicatos militantes e partidos ou segmentos de partido de extração popular e democrática se nota a irrupção de uma cultura de libertação. Ela cunhou uma linguagem própria, criou seus símbolos, possui suas referências históricas e, especialmente, sua força de organização e de pressão sobre toda a sociedade e sobre o Estado. É aqui que ganha centralidade o projeto do Brasil como nação autônoma e aberta com um desenvolvimento que dê sustentabilidade a uma sociedade democrática.

2. Cidadania popular e novo projeto-Brasil

Esta sociedade somente se constrói como resultado da atuação histórica dos cidadãos. A cidadania é a realidade mais fundamental para a construção de um projeto-Brasil. Ela, entretanto, constitui um dos vazios políticos mais lastimáveis do país. Nesta nossa reflexão vamos dar-lhe grande relevância. De nada vale refletirmos sobre os 500 anos de Brasil se não colocarmos em debate a questão da cidadania e do empoderamento do povo, portanto, da cidadania popular. Necessitamos ganhar clareza acerca do que seja cidadania integral e de sua importância na construção de um projeto para outros quinhentos anos a serem moldados dentro da dialética do *glocal*, vale dizer, da articulação permanente do local de uma soberania e de uma democracia fortes com o global dinâmico que zela pelos destinos comuns da humanidade e do planeta Terra.

VI

*Cidadania, con-cidadania, cidadania nacional
e cidadania terrenal*

Entendemos por cidadania o processo histórico-social que capacita a massa humana a forjar condições de consciência, de organização e de elaboração de um projeto e de práticas no sentido de deixar de ser massa e de passar a ser povo, como sujeito histórico plasmador de seu próprio destino. O grande desafio histórico é certamente este: como fazer das massas anônimas, deserdadas e manipuláveis um povo brasileiro de cidadãos conscientes e organizados. É o propósito da cidadania como processo político-social e cultural.

1. Dimensões da cidadania

Cinco são as dimensões de uma cidadania plena:

– *A dimensão econômico-produtiva:* a massa é mantida intencionalmente como massa e a pobreza é empobrecimento, portanto, a pobreza material e política é produzida e cultivada, por isso é profundamente injusta; a cidadania política é esvaziada ou reduzida à minoridade se não vier acompanhada pela econômica; o pobre que não for contra a pobreza e não optar por outros pobres não tem condições de comportar-se como sujeito social e realizar sua emancipação.

– *A dimensão político-participativa:* só os interessados se fazem cidadãos; estes podem e devem contar com apoios públicos e do Estado, mas se as pessoas mesmas não lutarem em prol de sua autonomia e por sua participação social nunca serão cidadãos plenos. Portanto, mais do que o Estado é a sociedade em suas várias vertebrações que conta.

– *A dimensão popular:* o tipo de cidadania vigente é de corte liberal-burguês, por isso inclui somente os que têm uma inserção no sistema produtivo e exclui os demais. É uma cidadania reduzida. Não se reconhece ainda o caráter incondicional dos direitos independentemente de posse, de instrução e de condição social ou ideológica. A cidadania deve ser alargada pelos lados e pelo fundo. Por isso a construção da cidadania deve começar pela base social, deve ter um cunho popular e incluir intencionalmente a todos. Ela já é exercida nos inúmeros movimentos sociais e nas associações comunitárias onde os excluídos constroem um novo tipo de cidadania e de democracia participativa.

– *A dimensão de con-cidadania:* a cidadania não define apenas a posição do cidadão face ao Estado, como sujeito de direitos e não como um pedinte (não se há de pedir nada ao Estado mas reivindicar; os cidadãos devem organizar-se não para substituir o Estado mas para fazê-lo funcionar); define também o cidadão face a outro cidadão mediante a solidariedade e a cooperação, como paradigmaticamente se está mostrando na campanha contra a fome e em favor da con-cidadania e da vida, herança imorredoura deixada por Herbert de Souza, o Betinho. Contra as políticas pobres do Estado para com os pobres, surgem as organizações dos pobres para fazerem valer seus direitos.

– *A cidadania terrenal:* a con-cidadania se abre hoje a uma dimensão planetária, na consciência do cuidado com a única casa comum que temos para habitar, o planeta Terra, de recursos limitados, em grande parte não-renováveis e com a corresponsabilidade coletiva de garantir um futuro comum para a Terra e a humanidade. Não somos apenas cidadãos nacionais mas também terrenais.

2. Cidadania e projetos-Brasil

A cidadania é um processo inacabado e sempre aberto a novas aquisições de consciência, de participação e de solidariedade. Só cidadãos ativos podem fundar uma sociedade democrática, como sistema aberto, que se sente imperfeita mas ao mesmo tempo sempre perfectível. Por isso, o diálogo, a participação e a busca da transparência constituem suas virtudes maiores.

A cidadania se realiza dentro de uma sociedade concreta que elabora para si projetos, muitas vezes, conflitantes entre si, de construção de sua soberania e dos caminhos de inserção no processo maior de globalização. Todos eles querem dar uma resposta à pergunta: que Brasil, depois de 500 anos, finalmente, nós queremos?

Vejamos três grandes projetos em curso e seus portadores históricos. Qual deles atende à busca dos milhões de brasileiros que almejam um Brasil diferente que os inclua e beneficie.

VII
Projetos políticos e modelos de cidadania

1. Projeto neoliberal de mundialização via mercado: cidadania seletiva

Este projeto considera o processo de mundialização pela via do mercado como irreversível. Nela devemos nos inserir, mesmo que seja de forma subalterna. Caso contrário seremos condenados à irrelevância histórica completa.

a) A globalização econômica: integração e exclusão

Em função do processo global, criou-se a partir de 1990 o que John Williamson, articulador das políticas globais dos USA, chamou de Consenso de Washington. Segundo esse consenso se procura um ajustamento das economias periféricas, sob o comando do FMI e do Banco Mundial, à lógica do mercado mundial. Mais ou menos 60 países do mundo inteiro foram submetidos ao receituário do FMI e do Banco Mundial. Aí se prevê a abertura das fronteiras econômicas, a livre circulação de produtos estrangeiros no mercado interno, a economia voltada para a exportação especialmente de matérias-primas. Para isso é imperativa a diminuição do Estado, a privatização e a desregulamentação.

Esse tipo de capitalismo mundialmente integrado não opera com a integração de todos no mercado. Ao contrário, ao utilizar as tecnologias de ponta como a comunicação, os robôs e a informatização, marginaliza muitos países, pouco interessantes aos interesses do capital mundial, dispensa milhões de pessoas do trabalho e os condena ao desemprego estrutural. Isso ao nível de todo o sistema mundial, no centro e na periferia.

b) A ideologia política do neoliberalismo

Para justificar esses processos (pretendendo dar-lhe racionalidade) e na vontade de legitimá-los (dar-lhes um caráter ético), criou-se no imaginário social a ideologia política do neoliberalismo. Na verdade é um discurso que visa dissimular, aos olhos do mundo, o caráter altamente explorador e perverso da dominação contemporânea. Especialmente perversa é a vontade de redução do Estado e a vontade de tudo privatizar. Na condição de país socialmente injusto, marcado por gritantes desigualdades e pesada exclusão das grandes maiorias, a falta de investimentos oficiais em políticas públicas em termos de saúde, educação, moradia e acesso à terra condena à miséria e, prematuramente, à morte milhões de pessoas. Nenhuma empresa particular investe nestas áreas por não ter nenhum retorno financeiro e por não se considerar entidade filantrópica. Ademais, o mercado sozinho não tem condições de resolver as questões estruturais e coletivas, pois ele apenas incentiva atividades produtivas que geram rentabilidade que os capitais esperam auferir. Cabe ao

Estado com sentido social alavancar os bens e serviços socialmente necessários já que o povo pobre e oprimido não possui renda monetária suficiente; tal tarefa o Estado pode realizar também através de parcerias com os capitais privados.

c) O Brasil, sócio agregado da globalização econômica

A oligarquia brasileira aceitou a introdução do Brasil neste tipo de globalização na forma de sócio agregado e subalterno. Tal decisão fez com que se criasse aqui dentro zonas de Primeiro Mundo, com grande afluência de bens e serviços, ao lado de uma miséria crescente dos excluídos, uma *Belíndia*, uma Bélgica de opulência dentro de uma Índia de miséria, na denunciadora expressão de Darcy Ribeiro.

O destino do Brasil, dentro desta opção, estará mais pendente das megaforças que controlam o mercado mundial do que das decisões políticas dos brasileiros. A autonomia do Brasil com um projeto próprio não possui centralidade. O projeto neoliberal magnifica o neoliberalismo com sua proposta política, econômica, cultural e mundial.

Importa dizer claramente: esse projeto neoliberal postula uma humanidade menor do que aquela realmente existente. Calcula-se que atende as demandas de forma satisfatória, e até altamente satisfatória, a 1,6 bilhões de pessoas. E as demandas dos outros 4,4 bilhões de pessoas? Elas vivem à margem ou mergulhadas na miséria. Por isso se entende a alta taxa de exclusão e de terceiramundialização que o processo mundial produz, visível dentro dos próprios países tecnologicamente avançados e escandaloso nos países periféricos. Aplicado ao nosso país, esse modelo supõe um Brasil menor, no qual mais da metade não cabe, os excluídos, e os demais estão na periferia. Ele funciona bem para cerca de 50-60 milhões. Daí se entende a perpetuação da herança de exclusão que referíamos anteriormente e a cultura dividida que nos estigmatiza.

Vamos expressá-lo num linguajar metafórico e por isso mais acessível. O liberalismo estabelecia este preceito: a mesa com comida está posta. Todos podem disputar a sua parte. Evidentemente os mais fortes têm mais capacidade de garantir porções maiores, os mais fracos, menores e os pobres têm que se contentar com os restos. Agora com o neoliberalismo se afirma: a mesa está posta com comida. Mas primeiro devem comer os mais fortes. Em seguida, podem avançar os fortes. Se sobrar alguma coisa podem comer também os fracos. E os pobres e destituídos de força social não têm jeito, devem ficar de fora, aí junto aos cachorros e gatos debaixo da mesa.

No Brasil esse projeto neoliberal é triunfante. Seus portadores são os setores ligados à exportação, os representantes das multinacionais, sediadas em nosso país, e as forças políticas que encamparam o discurso da modernização tecnológica. Todos eles querem a homogeneidade do espaço econômico. Em razão disso pressionaram a revisão constitucional para que se revogassem os dispositivos que distinguiam as empresas nacionais das estrangeiras e que se acabasse com o monopólio estatal do petróleo, das comunicações e da exploração de minérios somente por empresas estatais.

Curiosamente, aquelas forças que segundo Celso Furtado ajudaram por 50 anos (de 1930-1980) a construir um Estado forte, para capitanear o desenvolvimento nacional, agora se empenham em debilitá-lo para permitir mais atuação do capital privado nacional e mundial.

d) Uma cidadania seletiva

Como nesse modelo de sociedade se realiza a cidadania? Ele debilita e reduz a cidadania nacional, quer dizer, a autonomia do próprio país. Internamente reforça uma cidadania seletiva para aqueles setores beneficiados pela modernização. Para outros setores populares só cabe uma cidadania menor, de quem é reduzido a esmoler que espera sua cidadania como concessão do Estado e dos políticos. Outros, os excluídos, servem simplesmente como massa de manobra, sem qualquer cidadania, usando-se para eles o arsenal já ensaiado há séculos de desarmar seu potencial de rebelião com compensações, assistencialismo fácil e muitas promessas. É o novo populismo moderno, baseado em líderes carismáticos e messiânicos que prometem saciar as carências básicas sem passar pela conscientização e organização popular.

Os portadores fiéis deste modelo são constituídos pela coligação de partidos que sempre estiveram no poder e que trocam de siglas ou de filiação desde que permaneçam com as benesses do poder. Esta coligação está distanciada dos anelos populares e é cínica face aos níveis da taxa de iniqüidade social vigente.

Como se depreende, este modelo prolonga a lógica que presidiu o colonialismo, o neocolonialismo e a moderna forma de dominação mundial hegemonizada pelo capital central que impõe a todos no processo de globalização a ferocidade de seu modelo, socialmente explorador das pessoas, ecologicamente depredador dos escassos recursos da natureza e espiritualmente materialista e de uma pobreza antropológica de causar espanto.

Tragicamente, esse modelo favorece uma cultura reducionista, baseada numa visão encurtada da vida, consumista, exaltando o individualismo, magnificando o mais esperto, considerando o mais competente, enaltecendo o espírito competitivo e enfraquecendo os ideais de cooperação, de solidariedade e de compaixão com os destituídos sociais. Não é de se admirar o crescimento da violência em todos os campos, pois a ideologia ensina que o direito está do lado do mais forte e não do lado da justiça e da causa nobre.

A elite brasileira apostou e aposta nesse modelo, pois vem ao encontro de seus hábitos culturais e de sua visão dos problemas do Brasil, sempre insensível à dimensão social dos pobres. Bem o expressou Cristovam Buarque: "A elite brasileira, acostumada a orientar o projeto nacional apenas para si, considera os nossos problemas como crises passageiras, necessitando apenas de consertos na economia, sem modificações nos propósitos do desenvolvimento, nem nos seus beneficiários. A erradicação da pobreza exige mais do que consertos econômicos, exige um conserto nacional, uma vontade comum para construir um projeto de incorporação das grandes massas brasileiras nos benefícios de nosso potencial e nossa economia" (*A segunda abolição*, Paz e Terra, Rio de Janeiro 1999, 29).

Sem esse conserto, de fundo ético, não há salvação e futuro para o povo brasileiro. Ele continuará sendo "capado e recapado, sangrado e ressangrado" na contundente expressão do historiador mulato Capistrano de Abreu.

2. Projeto do capitalismo nacionalista: cidadania menor

Este projeto quer prolongar o ensaio de criação de uma economia nacional, mas agora de forma muito mais organizada técnica e politicamente. Postula um capitalismo nacional forte, base para uma industrialização moderna que utiliza tecnologias avançadas de produção e administração. Por isso procura sócios internacionais, mas sem submeter-se à sua vontade de dominação. Quer um Estado também forte para articular o capital estatal com o privado nacional e mundial no sentido de conferir dinamismo e competitividade internacional à economia brasileira.

a) Construir o Brasil de dentro para fora

O desafio que este modelo procura enfrentar é conferir uma nova orientação à economia. A lógica dominante até hoje foi criar o Brasil de fora para dentro no interesse do capital estrangeiro associado ao nacional. A produção conhecia esta orientação: produzir para as elites e as classes média e alta e para o exterior. O povo era excluído dos bens de consumo e dos serviços do desenvolvimento moderno. O desafio agora é alargar o mercado para os incluídos no processo de produção, vale dizer, os trabalhadores.

O mercado interno brasileiro é de porte médio, mas aloca grandes recursos e é muito importante até para a economia mundial. Para os promotores deste modelo, desenvolver o Brasil significa desenvolver o mercado interno. A história brasileira mostrou que, quando a economia se apóia no mercado interno, desenvolve-se extraordinariamente. Por ocasião da Segunda Guerra Mundial o Brasil viu-se forçado a esse processo. Em conseqüência, por trinta anos foi uma das economias mais dinâmicas do mundo, como o tem demonstrado Celso Furtado em seus escritos econômicos.

Os modelos referenciais são os Tigres Asiáticos. Representantes deste projeto são os setores importantes das classes proprietárias (por exemplo as grandes empreiteiras, industriais clássicos ligados a famílias) e os que são inseridos no sistema produtivo como segmentos significativos dos sindicatos e dos movimentos sociais que se inscrevem no arco da democracia liberal delegatícia ou representativa e que lutam mais por melhoria de salários do que pela mudança estrutural nas relações de produção.

Neste modelo não se coloca em questão o capitalismo e sua lógica, produtora de exploração e exclusão. Ele é visto como criador de oportunidades e de progresso, particularmente nos grandes interiores, onde não chegaram suficientemente os benefícios da tecnociência (medicina, comunicação, transportes, serviços básicos como luz, água e telefonia). Não obstante suas contradições sistêmicas, não se pode negar sua função civilizatória. Traz benefícios que, de certa forma, atingem a todos.

Neste projeto se reafirma a auto-estima do Brasil grande, o ufanismo de um Brasil-grande-potência-emergente com seus recursos naturais fantásticos e as surpreendentes potencialidades populacionais.

Esse modelo seguramente salvaguarda a soberania nacional, mas de modo fraco, porque essa soberania é atravessada pelos interesses do capital que, na sua lógica, sempre busca primeiramente o seu e só depois considera o social. Hoje, como todo capital é mundialmente integrado, a soberania se vê ameaçada, pois tem dificuldades de defender o projeto-Brasil, o interesse popular e o genuinamente nacional.

b) Uma cidadania menor

Como se realiza aí a cidadania brasileira? Como no modelo anterior, a cidadania será também restrita para os setores beneficiários. Será uma cidadania político-participativa para os segmentos incorporados na produção, mas não será econômico-produtiva, pois trabalhadores continuarão sendo duramente explorados. Portanto, terão uma cidadania de segunda classe, esporádica, às vezes expressa em grandes manifestações públicas mas sem conseqüências reais.

As políticas sociais do Estado continuam assistencialistas; assim mantêm a população pobre dependente dos benefícios públicos, desmobilizando, cooptando e controlando os movimentos sociais. Nada mais trágico em termos de libertação popular do que a situação daqueles que, iludidos, acreditam que sua libertação depende dos portadores de poder e não deles mesmos. Estas massas são injustamente condenadas a serem zeros econômicos e verem negada, pela exclusão, sua cidadania.

Os portadores políticos deste projeto são aqueles partidos ou segmentos de partido de orientação nacionalista, com base social no sindicalismo e no empresariado nacional, geralmente os militares e parcelas da intelectualidade enraizada na cultura nacional e nos movimentos emancipatórios nacionalistas.

Neste modelo há elementos positivos que devem ser assimilados numa perspectiva mais dialética. Esta deve reforçar a verdadeira soberania e um projeto-Brasil alternativo de base popular, apoiado pelo capital nacional e por setores do capital mundial, abertos a uma inserção mais autônoma no processo de globalização.

3. Projeto da democracia social e popular: cidadania plena e con-cidadania

Este projeto distancia-se dos outros porque quer se construir sobre outra base social. É constituído principalmente por todos aqueles que, excluídos da história brasileira, lentamente foram se organizando na sociedade civil e nos mais diferentes movimentos sociais. Acumularam força e conseguiram expressar-se em condutos político-partidários já agora em condições de disputar a conquista e o controle do poder de Estado. Para esse projeto, fundamental é construir uma nação autônoma, capaz de democratizar a cidadania, mobilizar a sociedade inteira para erradicar, em curto prazo, a pobreza absoluta, projetar um tipo de desenvolvimento sustentável, a partir de uma sociedade sustentável, desenvolvimento que se faça com a natureza e não contra ela, visando o suficiente e decente para todos e não a acumulação para poucos.

a) Construir o Brasil de baixo para cima e de dentro para fora

Até hoje o Brasil foi construído de cima para baixo e de fora para dentro: a partir dos poderes coloniais, depois pelas elites proprietárias e, a seguir, pelo Estado em sua ação mobilizadora e interventora. Essa lógica sedimentou as desigualdades e agravou as exclusões. Agora importa construí-lo de baixo para cima e de dentro para fora: a partir do povo brasileiro mesmo, que, organizado, toma as rédeas de seu destino, criando aqui uma nação soberana e aberta ao diálogo amplo das civilizações no arco do processo de globalização.

Esse projeto instaura uma ruptura fundadora de uma nova história. Estabelece novos fins à sociedade brasileira que se dá a si os meios para realizá-los. Esses fins se transformam em compromissos que deverão conferir o perfil a esse projeto libertador. Eles foram trabalhados com grande seriedade por um grupo de analistas e pensadores comprometidos com as lutas do povo e com a construção da "Opção Brasileira" (título do livro de Cesar Benjamin, Emir Sader, Reinaldo Gonçalves, Tânia Bacelar de Araujo entre outros, Contraponto, Rio de Janeiro 1998):

aa) *Compromisso com a soberania*, ou seja, definição pelo povo brasileiro de seu próprio destino e dos seus próprios objetivos e dos meios adequados para implementá-los;

bb) *Compromisso com a solidariedade*, ou seja, com a posta em ação de todos os meios e capacidades técnicas e culturais a fim de liquidar com os níveis de exclusão e miséria reinantes e assegurar um nível mínimo e geral de cidadania e auto-estima;

cc) *Compromisso com o desenvolvimento*, ou seja, com a utilização ótima de nossas riquezas naturais e culturais, com as técnicas adequadas aos nossos ecossistemas e com a criatividade e a capacidade de trabalho de nossos profissionais e de nosso povo, dando-nos autonomia e rompendo com as dependências externas que nos oprimem;

dd) *Compromisso com a sustentabilidade*, ou seja, com um desenvolvimento que dê centralidade ao ser humano individual e coletivo, atendendo generosamente a suas necessidades, solidário com as gerações futuras e respeitador do patrimônio natural e cultural que dispomos;

ee) *Compromisso com a democracia integral*, ou seja, com formas cada vez mais participativas em todos os planos da convivência, na família, na escola, na fábrica, nos movimentos sociais, nos partidos, nos meios de comunicação de massa e nas instâncias de poder público, sempre colocadas sob o controle da sociedade civil e do povo. Como enfatizam os autores: "democracia, para nós, não é palavra vazia: é método e meta, forma e conteúdo, processo e projeto" (*op. cit.*, 151).

De forma semelhante, Cristovam Buarque, pensador da realidade nacional a partir de uma dimensão ética e popular, definia assim os seis objetivos da modernidade ética no Brasil:

aa) a democracia;

bb) a abolição da apartação através da erradicação da pobreza;

cc) o respeito ao meio ambiente;

dd) a descentralização da produção e da qualidade de vida;

ee) a abertura do país à humanidade inteira;

ff) a garantia de qualidade de vida para toda a população (*A segunda abolição*, Paz e Terra, Rio de Janeiro 1999, 38).

São esses compromissos que podem tirar o Brasil da crise histórica e da herança de exclusões que o cindem de cima para baixo e que tanto o envergonham internacionalmente.

O Estado em parceria com os movimentos sociais, o capital privado e setores do capital mundial que aceitam este novo caminho brasileiro, promoveriam uma retomada diferente do desenvolvimento de cunho social, com prioridades para a educação e a saúde do povo, para a criação de empregos e para um mercado interno que atenda as carências básicas da população e só a seguir as demandas do mercado externo. Por essa via se consegue articular o crescimento econômico com justiça social, coisa que nunca se conseguiu na história brasileira.

O Brasil oficial aderiu sem discussão prévia ao projeto-mundo presente na globalização, projeto hegemonizado pelos países centrais em função de seus próprios interesses. Como já asseveramos acima, tal decisão estratégica reforçou nossos laços históricos de dependência e de redução de nossa autonomia-soberania. No projeto da democracia social e popular, o Brasil não se furta à globalização. Pelo contrário, entra com sentido de soberania, reafirmando seus interesses, pondo na mesa das negociações o que aporta ao processo global, particularmente sua contribuição no patrimônio natural para toda a humanidade (biodiversidade, absorção de dióxido de carbono, oxigenação da atmosfera, manutenção da mancha verde). Tal contribuição vale muito em termos monetários e financeiros, a partir donde não aparecemos como devedores mas credores do mundo. Como veremos mais adiante, entramos no processo de globalização com a consciência clara do que objetivamente podemos oferecer na base de nossa rica experiência multiétnica, multicultural e multirreligiosa.

b) Contribuição ecológica do Brasil ao mundo globalizado

Entre tantos pontos, três cabem ser ressaltados na perspectiva de uma globalização que toma em conta o dado ecológico: a biodiversidade, o potencial de água potável e as substâncias farmacológicas.

Abrigamos aqui a maior biodiversidade do Planeta: 60.000 espécies de plantas, 2,5 milhões de espécies de artrópodes (insetos, aranhas, centopéias etc.), 2.000 espécies de peixes, mais de 300 de mamíferos, sem falar no número inimaginável de microorganismos, responsáveis principais pelo equilíbrio ecológico. Na sociedade de informação que se está consolidando essa biomassa representará riqueza maior do que representou o carvão e o petróleo na civilização industrial.

A água potável transformou-se no recurso natural mais escasso da natureza. Cerca de 4% de toda a massa hídrica do Planeta é constituída de água doce, sendo que menos de 1% é potável. Só na América Latina, especialmente na parte brasileira, concentram-se 47% da riqueza hídrica do Planeta. Por um complexo mecanismo natural se reciclam na Amazônia cerca de 6-7 bilhões de toneladas de água doce por ano. No novo século, o Brasil será a potência das águas, capaz de saciar as sedes do mundo inteiro e saldar com vantagem todas as suas dívidas.

Mais e mais no mundo se procura evitar a quimicalização artificial dos alimentos e das medicinas. O Brasil, nos seus vários ecossistemas, apresenta uma riqueza natural sem precedentes no mundo. A extração dos frutos das palmeiras (açaí, buriti, bacaba, pupunha, cupuaçu etc.), da castanha-do-pará, do látex da borracha, dos óleos e colorantes vegetais, das substâncias alcalóides para a farmacologia, de outras substâncias de valor herbicida e fungicida, rende mais que todo o desflorestamento furioso, na ordem de quinze hectares por minuto. O conhecimento acumulado por indígenas e caboclos acerca das ervas medicinais e valorizado pela pesquisa científica poderia dar novo rumo à medicina mundial.

Somente esses poucos dados revelam o privilégio natural deste país e sua capacidade de inserção soberana e solidária na nova fase da humanidade, a planetária.

Esse projeto, uma vez implementado, deixará para trás a cultura do individualismo e do cinismo ético de nossas elites, reforçará a tradição de solidariedade típica do povo que se manifesta na instituição do mutirão e inaugurará uma cultura centrada na vida e na alegria que a vida sempre irradia.

Esse projeto é sustentado pelo vasto leque do movimento social organizado, pelos cristãos da Igreja da libertação, pelo operariado industrial, por setores importantes da classe média que se convenceram de que não há salvação para eles e para as maiorias dentro da ordem do capital, e por partidos ou segmentos de partidos progressistas que querem uma ruptura na história brasileira pela introdução de um novo sujeito de poder no cenário político, capaz de iniciar um processo de uma democracia participativa e de uma con-cidadania de cunho popular.

c) Cidadania maior e plena

Que tipo de cidadania esse projeto constrói? Nele fica clara a vontade de soberania nacional e o tipo diferente de cidadania política, econômica, participativa, solidária e popular. Será uma cidadania cotidiana, plantada no funcionamento dos movimentos sociais e, por isso, em contínuo exercício. Construir a cidadania e con-cidania popular é a forma concreta de se construir o projeto-Brasil. O Estado não é dispensado em nome desta cidadania popular, mas entra como "instância delegada de serviço público", criando políticas de interesse comum, equalizando oportunidades, agindo preventivamente ao atacar as causas e não apresentando apenas propostas curativas dos efeitos (cf. P. Demo, *Cidadania menor. Algumas indicações quantitativas de nossa pobreza política*, Vozes, Petrópolis 1992, 20s). Aí ele fica libertado do cativeiro em que a classe dominante o manteve há séculos. Transforma-se, realmente, no gestor da coisa pública em benefício do público e não do privado, como é tradição da política patrimonialista ainda dominante no Brasil.

Os partidos populares, os partidos de tradição revolucionária e facções de outros partidos, intelectuais de primeira linha, artistas e personalidades de grande peso moral e religioso dão corpo a esse ideário político.

O triunfo deste terceiro modelo, o mais carregado de promessas, desenharia e moldaria um destino realmente alternativo e novo ao povo brasileiro.

VIII

Desenvolvimento social, democracia integral e educação libertadora

Para dar consistência ao projeto-Brasil, importa trabalhar sobre três eixos dialeticamente imbricados: a educação libertadora, a democracia integral e o desenvolvimento social. Resumidamente, mister se faz desenvolver uma educação libertadora que nos abra para uma democracia integral, capaz de produzir um tipo de desenvolvimento socialmente justo e ecologicamente sustentado.

Partimos do pressuposto de que a civilização industrial e a cultura do capital estão numa profunda crise e apontam para imensas calamidades. A Terra não tem mais condições de agüentar a depredação produzida pela voracidade produtivista e consumista do *ethos* do capital. Esta ordem na desordem somente perdura porque se utiliza a força dura e doce para manter as grandes maiorias em estado de penúria crônica. 18% da população mundial consome irresponsavelmente 80% dos recursos não-renováveis sem nenhum sentido de solidariedade generacional e de respeito ao patrimônio natural de toda a vida.

Com acerto assinalava Celso Furtado: "O desafio que se coloca no umbral do século XXI é nada menos do que mudar o curso da civilização, deslocar o seu eixo da lógica dos meios a serviço da acumulação, num curto horizonte de tempo, para uma lógica dos fins em função do bem-estar social, do exercício da liberdade e da cooperação entre os povos" (*Brasil: a construção interrompida*, *op. cit.*, 76).

1. Novo paradigma de desenvolvimento

O que se postula aqui é uma mudança no paradigma do *desenvolvimento*, indispensável para resguardar a natureza, salvar a humanidade e possibilitar um projeto-Brasil alternativo. A Declaração sobre o Direito dos Povos ao Desenvolvimento da ONU, de 18 de outubro de 1993, assimilou já esta necessidade ao definir que o desenvolvimento é "um processo econômico, social, cultural e político abrangente, que visa o constante melhoramento do bem-estar de toda a população e de cada indivíduo na base de sua participação ativa, livre e significativa e na justa distribuição dos benefícios resultantes dele" (Declaration on the Right to Development, ECOSOC, United Nations Commission on Human Rights, 18/10/1993). Nós acrescentaríamos ainda, no sentido da integralidade, a dimensão psicológica e espiritual.

Portanto, postula-se que a economia, como produção dos bens materiais, é apenas meio para possibilitar o desenvolvimento cultural, social e espiritual do ser humano. Errônea e com funestas conseqüências é a visão que entende o ser humano apenas como um ser de necessidades e de desejo de acumulação ilimitada e, por isso, da economia como crescimento ilimitado, como se ele fosse meramente um animal faminto e não um ser criativo, com fome de beleza, de comunhão e de espiritualidade.

Faz-se mister produzir e consumir o que é necessário e decente e não produzir e consumir o que é supérfluo, excessivo e abusivo. Precisamos passar de uma economia da produção ilimitada para uma economia multidimensional da produção do suficiente generoso para todos os humanos e também para os demais seres que conosco compartem a aventura terrenal e cósmica.

O sujeito central do desenvolvimento, portanto, não é a mercadoria, o mercado, o capital, o setor privado e o Estado, mas o ser humano e os demais seres vivos nas suas múltiplas dimensões, segundo a diretiva da Declaração da ONU, do ensino das Igrejas como as representadas no Conselho Mundial de Igrejas em Genebra e pela doutrina social da Igreja Romano-Católica. Cada um e todos os cidadãos são convocados a participar do desenvolvimento, enquanto sujeitos ao mesmo tempo singulares e plurais. Cada um é chamado a ajudar na produção do suficiente e do decente para todos.

2. Construção da democracia integral

É dentro deste contexto que se coloca a questão da *democracia integral*. Primeiro, como valor universal a ser vivido em todos os âmbitos onde o ser humano se encontra com outro ser humano, nas relações familiares, comunitárias, produtivas e sociais. Em seguida, como forma de organização política. Seria o sistema que garante a cada um e a todos os cidadãos a participação ativa e criativa em todas as esferas de poder e de saber da sociedade. Essa democracia seria, por definição popular (mais ampla que a democracia burguesa e liberal), solidária (não excluiria ninguém, em razão de gênero, de raça e ideologia), respeitadora das diferenças (pluralista e ecumênica), sócio-cósmica porque incluiria como cidadãos e sujeitos de direitos também o meio ambiente, as paisagens, os rios, as plantas e os animais, numa palavra, uma democracia verdadeiramente integral. Esta democracia é composta de cidadãos-sujeitos e não de massas de votantes, destituídos, sem consciência, sem memória, sem projeto e incapazes de assumir sua autodeterminação.

Para ser cidadão-sujeito são exigidos três processos: o primeiro, o *empoderamento*, isto é, a conquista de poder para ser sujeito pessoal e coletivo de todos os processos relacionados com o seu desenvolvimento pessoal e coletivo; o segundo é a *cooperação* para além da competição e da concorrência, motor da cultura do capital, razão por que as formas comunitárias e cooperativas de organização da economia deverão ter crescente preferência às formas privadas e excludentes; o terceiro, a *auto-educação* contínua para exercer sua cidadania e con-cidadania como sujeito junto com outros sujeitos.

3. Educação da práxis

É nesse ponto que o desenvolvimento centrado no ser humano e na democracia integral se articula com a *educação integral*. A educação integral é um processo pedagógico permanente que abrange a todos os cidadãos em suas várias dimensões e que visa educá-los no exercício sempre mais pleno do poder, tanto na esfera de sua subjetividade quanto na de suas relações sociais. Sem esse exercício de poder solidário e cooperativo não surgirá uma democracia integral nem um desenvolvimento centrado na pessoa e, por isso, o único verdadeiramente sustentado.

O pedagogo popular e economista Marcos Arruda chama a esta pedagogia de *educação da práxis* (cf. o livro escrito em conjunto *Globalização a partir do Grande Sul – Desafios socieconômicos, éticos e educativos*, Vozes, Petrópolis 2000). Parte-se daquilo que já São Francisco e Mao Tsé-Tung ensinavam: aprende-se fazendo. A prática, portanto, é a fonte originária do aprendizado e do conhecimento humano, pois o ser humano é, por natureza constitutiva, um ser prático. Ele não tem a existência como um dado, mas como um feito, como uma tarefa que exige uma prática de permanente construção. Não tendo nenhum órgão especializado, ele tem que se construir continuamente a si mesmo e o seu *habitat* pela prática cultural, social, espiritual e técnica.

Conhecer, aqui, é um procedimento concreto, presente na etimologia da palavra "conceito" ou "connaître" em francês (conhecer): que significa nascer junto com a realidade, entrar em comunhão com a realidade; desta comunhão resulta uma concepção, vale dizer, o conceito (*conceptum*) que é a síntese entre a experiência subjetiva e o objeto experimentado. Conhecer implica, pois, fazer uma experiência e a partir dela ganhar consciência e capacidade de conceptualização.

O ato de conhecer, portanto, representa um caminho privilegiado para a compreensão da realidade; o conhecimento sozinho não transforma a realidade; transforma a realidade somente a conversão do conhecimento em ação. Entendemos por práxis exatamente esse movimento dialético entre a conversão do conhecimento em ação transformadora e a conversão da ação transformadora em conhecimento. Essa conversão não apenas muda a realidade, mas muda também o sujeito. Práxis, portanto, é o caminho.de todos na construção da consciência humana e universal. Esse conhecimento não é monopólio dos que passaram pelas escolas e se entregam à leitura. É acessível a todos os humanos que têm uma prática. O trabalhador manual, portanto, não precisa, para aprender, memorizar uma quantidade ilimitada de conteúdos. O essencial é que aprenda a pensar a sua prática individual e social, articulando o local com o global e vice-versa, tirando dos vários conhecimentos um direcionamento estratégico e tático de sua ação transformadora.

A educação da práxis visa atingir esses três objetivos principais:

– A apropriação por cada cidadão e da comunidade dos instrumentos adequados para pensar a sua prática individual e social e para ganhar uma visão globalizante da realidade que o possa orientar em sua vida;

– A apropriação por cada cidadão e da comunidade do conhecimento científico, político, cultural acumulado pela humanidade ao longo da história para garantir-lhe a satisfação de suas necessidades e realizar suas aspirações;

– A apropriação por parte dos cidadãos e da comunidade dos instrumentos de avaliação crítica do conhecimento acumulado, reciclá-lo e acrescentar-lhe novos conhecimentos através de todas as faculdades cognitivas humanas que, além da razão, incluem a afetividade, a intuição, a memória biológica e histórica contida no próprio corpo e na psiqué, os sentidos espirituais como o da unidade do todo, da beleza, da transcendência e do amor.

Tal educação integral capacita e forma o ser humano para gestar uma democracia aberta, sócio-cósmica e um desenvolvimento que garante uma sociedade sustentável. Esse foi o caminho dos países que hoje possuem a dianteira no processo tecnológico e garantem a sustentabilidade de seu processo social. Europa, Estados Unidos, Japão e Coréia investiram pesadamente na educação.

Investir em educação é inaugurar a maior revolução que se poderá realizar na história, a revolução da consciência que se abre ao mundo, à sua complexidade e aos desafios de ordenação que apresenta. Investir na educação é fundar a autonomia de um povo e garantir-lhe as bases permanentes de seu refazimento face a crises que o podem abalar ou desestruturar como a Alemanha e o Japão na Segunda Guerra Mundial, que, por causa do nível de educação de seu povo derrotado e humilhado, se reergueram das ruínas. Investir em educação é investir na qualidade de vida social e espiritual do povo. Investir em educação é investir em mão-de-obra qualificada. Investir em educação é garantir uma produtividade maior. O Estado brasileiro nunca promoveu a revolução educacional. É refém histórico das elites proprietárias que precisam manter o povo na ignorância e na incultura para ocultar a perversidade de seu projeto social, para reproduzir seus privilégios e perpetuar-se no poder.

O projeto-Brasil de uma democracia social e popular, o Brasil dos outros quinhentos, fará da revolução educacional sua alavanca maior, criando o espaço para o povo poder expressar sua alta capacidade de criação artística e inventividade prática, finalmente, para plasmar-se a si mesmo como gostaria de se plasmar.

IX

*O papel dos aliados: articular a inteligência
com a miséria*

Uma revolução nos destinos do país como se pretende não poderá ser feita a partir de um único sujeito histórico mas de um bloco de forças que se conjugam em vista de um projeto-Brasil comum. O portador natural, como asseveramos anteriormente, é a massa dos destituídos e o povo organizado. Mas precisam contar com aliados, sem os quais o projeto se frustrará. Daí a importância dos intelectuais orgânicos, todos aqueles que, não pertencendo às camadas oprimidas, optam por elas, assumem sua causa, apóiam suas lutas e participam de seu destino, às vezes trágico porque marcado por difamações, perseguições, prisões, torturas, exílios e mortes.

O pacto entre os aliados e os oprimidos e excluídos se fará muito mais por razões éticas do que por interesses políticos. Esse pacto reforça a possibilidade de êxito do novo projeto-Brasil. O professor Cristovam Buarque bem o reconheceu: "O Brasil carrega toda a tragédia e toda a potencialidade do final do século XX. E está descobrindo a necessidade de mudança. Diferentemente de outros países ricos, que não têm necessidade de mudanças, dos muito pobres e pequenos que não têm condições de imaginar ou construir mudanças, ou de países como a China e a Índia, que não sofrem nossas pressões internas, o Brasil tem todos os ingredientes da crise e de sua alternativa. Por isso, pode ser o local onde uma nova modernidade ética poderá surgir. Uma modernidade ética que coloque os valores éticos da sociedade como os valores determinantes dos objetivos sociais, estes como definidores da racionalidade econômica, para se ter a opção técnica mais conveniente, afinal. Isso representa uma subversão total na atual hierarquia do avanço técnico definindo a racionalidade econômica, que determina os objetivos sociais a serem atendidos, relegando os valores éticos da sociedade" (*A segunda abolição*, Paz e Terra, Rio de Janeiro 1999, 38).

1. A dívida social da *intelligentzia* brasileira

A partir desta nova ótica que origina uma nova ética podemos avaliar os desafios que se colocam aos intelectuais éticos e atentos às demandas da história, àqueles que, em função de seus estudos, lugar social e profissões, estão às voltas continuamente com a situação do país. Tal como o Estado, a *intelligentzia* brasileira possui uma enorme dívida social para com o povo brasileiro, especialmente com os pobres, marginalizados e excluídos. Nesta quadra crucial de nossa história pátria e da história da humanidade planetizada, chegou o momento de pagar esta dívida urgentemente.

Mais do que nunca, por exemplo, as universidades, onde se formam os intelectuais, não podem ser reduzidas a macroaparelhos de reprodução da sociedade discricionária e a fábricas formadoras de quadros para o funcionamento do sistema imperante. Na nossa história pátria foram sempre também um laboratório do pensamento contestatário e libertário. Isso constitui sua missão histórica permanente que deve ser acelerada hoje, dada a urgência da situação.

Detenhamo-nos suscintamente a alguns pontos de reflexão. Como referimos anteriormente, a nova centralidade político-social reside na construção da sociedade civil a partir da qual a massa deixa de ser massa e passa a ser povo organizado. Sem ela não existirá a base para um projeto de democracia social e popular e de uma cidadania cotidiana e abrangente. Isso implica nos seguintes pontos:

2. Encontro da universidade com a sociedade

Em primeiro lugar, a criação de uma aliança entre a inteligência acadêmica e a miséria popular. Em seu leito de morte em Petrópolis, Alceu Amoroso Lima (Tristão de Athaide) me soprou ao ouvido estes comentários, verdadeiro legado para toda a nossa geração. Dizia que sua geração, dos anos 30, fizera a aliança da inteligência com o poder público e com o pensamento universitário; conferira credibilidade à Igreja ao inseri-la no mundo da inteligência e do debate crítico sobre questões nacionais e civilizacionais. A nossa geração, referindo-se aos intelectuais comprometidos com a sorte dos oprimidos e aos teólogos da libertação, havia inaugurado uma nova aliança entre o pensamento mais crítico e a miséria mais atroz do povo brasileiro. Desta aliança nasceu a perspectiva da libertação necessária, o pagamento da dívida social da intelectualidade para com o povo brasileiro. Enfatizava como quem ditava um testamento: "não abandonem este caminho, mantenham unidas as duas pontas que reconstruirão o Brasil em novas bases e a Igreja de Cristo dentro dele".

Todas as universidades, especialmente após a reforma de seu estatuto por Humboldt em 1809 em Berlim, que permitiu as ciências modernas ganharem seu lugar oficial ao lado da reflexão humanística que criou outrora a universidade, se tornaram o lugar clássico da problematização da cultura, da vida, do homem, de seu destino e de Deus. As duas culturas – a humanística e a científica – hoje em dia mais e mais deixam de coexistir e se intercomunicam no sentido de pensar o todo, o destino do próprio projeto científico-técnico e sua responsabilidade pelo futuro comum da nação e da Terra. Tal desafio exige um novo modo de pensar, como o expúnhamos antes, que não dicotomiza mas conjuga, que não tira dos contextos mas os ressitua dentro deles e no todo maior, que não segue uma lógica do simples e linear mas do complexo e dialógico.

As universidades são urgidas a assumir este desafio: as várias faculdades, institutos e programas buscarão um enraizamento orgânico nas periferias, nas bases populares e nos setores ligados diretamente à produção dos meios da vida. Aqui pode estabelecer-se uma fecunda troca de saberes, entre o saber popular e o saber acadêmico, pode elaborar-se a definição de novas temáticas teóricas nascidas do confronto com a anti-realidade popular e valorizar a riqueza incomensurável de nosso povo na sua capacidade de encontrar, sozinho, saídas para os seus problemas.

3. O desafio: gestar o povo brasileiro

Em segundo lugar, desta aliança reforça-se o que ainda não acabou de nascer no Brasil, o povo brasileiro. O que herdamos foi uma elite e um Estado altamente seletivos e uma imensa massa de destituídos e dependentes. Mas no meio desta massa nasceram lideranças e movimentos que propiciaram o surgimento de todo tipo de comunidades, associações, grupos de ação e reflexão que vão das quebradeiras de coco do Maranhão aos povos da floresta do Acre, dos sem-terra do Sul aos clubes de mães solteiras da Bahia e das comunidades de base da Paraíba aos sindicatos combativos do ABC paulista. Do exercício democrático no interior destes movimentos nascem cidadãos e da articulação do conjunto destes movimentos com os demais poderes e instâncias do país está nascendo o povo brasileiro. Lentamente chega à consciência de sua história e projeta um futuro diferente e melhor para si e para os seus.

Repetimos: nenhuma revolução deste porte se faz sem aliados, sem a ligação orgânica daqueles que manejam o saber específico com os movimentos sociais emergentes. É aqui que a universidade deve se abrir e se inserir. Tanto os mestres e alunos devem freqüentar a escola viva do povo como permitir que gente do povo possa entrar na universidade como quem visita a casa de seus amigos e aliados e aí participar da discussão daquilo que interessa a todos e construir coletivamente uma perspectiva de Brasil feito por todos. Sejamos co-parteiros históricos do povo brasileiro, solidário, alegre e aberto a todos os horizontes do mundo.

4. A troca de saberes

Em terceiro lugar, este processo de gênese de um povo permite um novo tipo de cidadania, baseada na con-cidadania dos representantes da sociedade civil e das bases populares que tomam iniciativas por si mesmos e submetem o Estado a um controle democrático, cobrando-lhe os serviços ao bem comum. Nestas iniciativas populares, seja na construção de casas em mutirão, seja na preocupação pela saúde, seja na forma de produção de alimentos, seja na contenção das encostas contra desabamentos, seja na defesa de seus direitos e na proteção contra a violência generalizada e em mil outras frentes, os movimentos sociais sentem necessidade de um saber profissional. É onde a *intelligentzia* e a universidade podem e devem entrar, socializando o saber, oferecendo encaminhamentos para soluções originais e abrindo perspectivas às vezes insuspeitadas por quem é condenado a lutar só para sobreviver.

Deste ir-e-vir fecundo entre pensamento universitário e saber popular pode surgir um novo tipo de desenvolvimento adequado à cultura local e ao ecossistema regional. A partir desta prática a universidade pública resgatará seu caráter público, será servidora da sociedade e não apenas daqueles privilegiados que conseguiram se inscrever nela. E a universidade privada realizará sua função social, já que em grande parte é refém dos interesses privados das classes proprietárias e feita chocadeira de sua reprodução social.

5. A projeção de um horizonte utópico

Por fim, cabe à intelectualidade lúcida e generosa e, principalmente, à universidade reforçar e garantir o horizonte utópico de toda a sociedade. O antropólogo Roberto da Matta sublinhou o fato de o povo brasileiro ter criado um patrimônio realmente invejável, "toda essa nossa capacidade de sintetizar, relacionar, reconciliar, criando com isso zonas e valores ligados à alegria, ao futuro e à esperança" (*O que fez o brasil Brasil?*, Rocco, Rio de Janeiro 1986, 121).

Apesar de todas as tribulações históricas, apesar de ter sido considerado, tantas vezes, jeca-tatu, carvão para nosso processo produtivo, joão-ninguém, o povo brasileiro nunca perdeu sua auto-estima e o encantamento do mundo. É um povo religioso e místico, o que equivale dizer, um povo de grandes sonhos, esperanças inarredáveis e utopias generosas, um povo que se sente tão acompanhado pela bênção divina que estima ser Deus brasileiro.

Talvez seja esta visão encantada do mundo, tão bem retratada na literatura com raízes na cultura popular, uma das maiores contribuições que os brasileiros podem dar à cultura mundial emergente, tão pouco mágica e tão pouco sensível ao jogo, ao humor e à harmonia dos contrários. Certamente é essa visão, verdadeira cosmovisão, que permitiu a continuidade de nossa história, não obstante suas perversas contradições. Ela tem condições de gestar uma convivência mais solidária e inclusiva de todos. Um povo que canta, que dança, que reza, que faz suas promessas e participa de romarias, que joga com tanta ginga futebol, que festeja carnavais e chora seus ídolos com tanta *grazie*, tem todas as condições para ser um povo livre, libertado e inspirador para outros povos.

A universidade deve constituir-se num laboratório onde esta alquimia social se reforça e se universaliza, alimentando um horizonte utópico promissor, na convicção compartilhada de que ainda temos tempo e que temos todas as condições para encontrarmos nosso caminho de realização na solidariedade com todos os demais povos, testemunhando que tudo, finalmente, vale a pena, "porque nossa alma não é pequena". Viver neste mundo não significa sentir-se prisioneiros de necessidades, mas sentir-se filhos e filhas da alegria. Desta transformação poderá nascer o Brasil que queremos, inserido num mundo globalizado, convergindo para além das diversidades étnicas, culturais e religiosas rumo a uma justiça mínima para todos, um cuidado essencial com a vida e o nosso Planeta, o único que temos para habitar, no qual seja menos difícil a solidariedade, a sinergia, a fraternura e o amor.

X

Brasil: a Roma tropical?

As reflexões feitas no final do capítulo anterior nos convidam a um pequeno aprofundamento sobre a importância da dimensão espiritual na configuração de um projeto-Brasil alternativo. Todo projeto-Brasil que não incorporar essa dimensão mística e espiritual será antipopular, pois essa dimensão pertence às essencialidades da alma brasileira. Tal fato desafia nossos intelectuais que passaram pela cultura acadêmica secularizada e positivista do paradigma científico moderno. Precisamos todos abrir-nos às novas conquistas da reflexão contemporânea, vindas das ciências da Terra, da nova cosmologia, da física quântica, dos conhecimentos da complexidade do universo interior do ser humano. Nesses campos se instaurou uma vigorosa meditação sobre o novo paradigma emergente. Entre outras características, ele é holístico, complexo e espiritual.

1. O espírito como dimensão objetiva do real

Precisamos superar a concepção reducionista que entende espírito como apanágio somente do ser humano. Os cosmólogos mais sérios admitem hoje que o espírito é uma das características do universo. Antes de estar no ser humano o espírito está no cosmos. Como diz um texto antigo, "o espírito dorme na pedra, sonha na flor, acorda nos animais e sabe que está acordado no ser humano". Espírito é a capacidade de interação e de inter-retro-conexão que as energias e a matéria revelam. Tudo está em relação com tudo; tudo é jogo de probabilidades; algumas delas se realizam e então irrompe o mundo empírico do qual somos parte e outras voltam ao vácuo quântico, ao universo virtual ilimitado. O espírito é aquela força diretiva do universo que articula as quatro interações primordiais (a gravitacional, a eletromagnética e as nuclear fraca e forte) de tal forma que elas atuem sempre entrelaçadas e concomitantes, sustentando o todo e as partes, a formiga da mesa, a galáxia mais distante e a mente do autor que escreve estas coisas, num equilíbrio dinâmico e aberto. Nesse sentido, tem razão o físico quântico indiano-norte-americano Amit Goswami ao afirmar que o universo é autoconsciente. Por razões matemáticas (da matemática não-euclidiana), assevera este autor, o universo é inexplicável sem a admissão de um conjunto superior espiritual e inteligente que o ordena e coordena (cf. *O universo autoconsciente*, Record, Rio de Janeiro 1998). O espírito, pois, é algo objetivo e cósmico que independe de nossas convicções e cosmovisões.

No nível humano ele emerge como consciência auto-reflexa. Espírito aparece então como aquele momento da consciência em que o ser humano se sente parte e parcela do todo, capta a re-ligação de tudo com tudo, interioriza essa experiência e a transforma numa percepção de sentido e de valor, de ordem e de harmonia para além de todo caos e de toda dissolução. Espírito é a capacidade de identificar o fio condutor que por tudo penetra e tudo interconecta, chamando-o de mil nomes, como Energia suprema, Espírito infinito, Fonte originária de todo ser ou simplesmente Deus.

2. Espiritualidade como dimensão do profundo humano

Todo ser humano, por ser humano, é objetivamente portador de espiritualidade. Ele não precisa procurar a espiritualidade fora dele. Basta viajar na direção do seu coração. A espiritualidade não é, portanto, monopólio de alguns – os homens espirituais – ou das religiões que lhe criaram o discurso e lhe deram o quadro institucional chamado de religiões ou caminhos espirituais. Espiritualidade é a dimensão do profundo de cada ser humano. Vivenciá-la e elaborá-la interiormente é a tarefa da mística. A mística tem a ver com experiências e não com doutrinas, com um saborear Deus e não com um saber sobre Deus.

Conscientizar tal dimensão, trazê-la ao nível da prática e reservar-lhe um lugar explícito no projeto humano é sinal de maturidade e de plena humanidade. Cada um deve buscar realizar sua dimensão espiritual na medida em que dialoga com seu eu profundo, lhe escuta os apelos e busca sua integração na totalidade do real que o ultrapassa por todos os lados.

3. O povo brasileiro: um povo místico e religioso

Os povos explicitaram e integraram tal dimensão espiritual e criaram-lhe as múltiplas expressões que são as religiões, todas elas nascidas de uma experiência espiritual profunda. O povo brasileiro é espiritual e místico. Não passou pela escola dos modernos mestres da suspeita que, em vão, tentaram deslegitimar a espiritualidade e a religião. Para o povo, Deus não é um problema mas uma solução de seus problemas e do sentido derradeiro de seu viver e de seu morrer. Ele sente Deus acompanhando seus passos, celebra-o nas expressões do cotidiano como "meu Deus", "graças a Deus", "Deus lhe pague", "fique com Deus", "Deus o acompanhe", "queira Deus" e "Deus o abençoe". Invoca-o em todos os momentos de alegria e de aperto existencial. E testemunha os milagres que Deus faz para salvá-lo de tantas tribulações em que é metido por séculos de opressão e exclusão (os salvamentos que vivenciam dos grandes apertos existenciais equivalem mesmo a milagres). Se não tivesse Deus em sua vida, certamente não teria resistido com tanta fortaleza, humor e sentido de luta.

O cristianismo ajudou a formar a identidade dos brasileiros. No tempo da Colônia e do Império, ele entrou pela via da missão (igreja institucional) e da devoção aos santos e santas (cristianismo popular). Modernamente está entrando pela vida da libertação (círculos bíblicos, comunidades de base e pastorais sociais) e pelo carismatismo (encontros de oração e de cura, grandes shows-celebrações dos padres mediáticos: cf. E. Ho-ornaert, *O cristianismo moreno do Brasil*, Vozes, Petrópolis 1991) e pelas igrejas evangélicas, vindas de fora ou fundadas aqui, carismáticas ou não, que impregnam de espírito bíblico a experiência religiosa brasileira.

Fundamentalmente, o cristianismo colonial e imperial educou as classes senhoriais sem questionar-lhe o projeto de dominação, antes abençoando-o, e domesticou as classes populares para se ajustarem ao lugar que lhes cabia na marginalidade do sistema dominante. Por isso, a função do cristianismo foi extremamente ambígua mas sempre funcional ao *status quo* desigual e injusto. Raramente foi profético. No caso da escravidão, foi francamente legitimador de uma ordem iníqua. Somente a partir dos anos 50 do século XX setores importantes de sua institucionalidade (bispos, padres e religiosos e religiosas junto com leigos comprometidos com mudanças na sociedade e na Igreja) começaram um processo de deslocamento de seu lugar social rumo ao povo, aos pobres e oprimidos. Surge o discurso da promoção humana integral e da libertação sócio-histórica cuja centralidade é ocupada pelos oprimidos que já não aceitam sua condição de oprimidos. Pelo fato de serem simultaneamente pobres e religiosos, tiram de sua religião as inspirações para a resistência e para a libertação contra todas as opressões rumo a uma sociedade diferente, com mais participação popular e mais justiça. Emerge um cristianismo novo, profético, libertador e comprometido com as mudanças necessárias (cf. J.O. Beozzo, *A Igreja do Brasil*, Vozes, Petrópolis 1994).

4. A originalidade do cristianismo popular

Mas a maior criação cultural feita no Brasil é representada pelo cristianismo popular. Colocados à margem do sistema político e religioso, os pobres, indígenas e negros deram corpo à sua experiência espiritual no código da cultura popular que se rege mais pela lógica do inconsciente e do emocional do que pela lógica do racional e do doutrinário. Elaboraram assim uma rica simbologia, as festas aos seus santos e santas fortes, uma arte colorida e uma música carregada de jovialidade associada à *noble tristesse*. Ele não significa decadência do cristianismo oficial, mas uma forma diferente, popular e sincrética de expressar a essência da mensagem cristã.

O sincretismo urdido de elementos cristãos, afro-brasileiros e indígenas representa outra criação relevante da cultura popular. Ele mais e mais vai caracterizando a atmosfera espiritual brasileira. O povo não é dogmático, nem fundamentalista, nem obcecado em suas crenças. É tolerante, respeitador dos muitos caminhos religiosos, pois crê que Deus está em todos e todos se propõem a servir o ser humano e manter viva a chama sagrada do Divino em nós. Por isso é multiconfessional e não se envergonha de ter várias pertenças religiosas. Não se trata de uma religião de cardápio, pois agrega os elementos diferentes não de forma aleatória ou por pura justaposição. A síntese é feita dentro de seu coração em sua espiritualidade profunda. A partir daí compõe o rico tecido religioso. O antropólogo Roberto da Matta o exprimiu acertadamente: "No caminho para Deus e na relação com o outro mundo, posso juntar muita coisa. Nele, posso ser católico e umbandista, devoto de Ogum e de São Jorge. Posso juntar, somar, relacionar coisas que tradicional e oficialmente as autoridades apresentam como diferenciadas ao extremo. Tudo aqui se junta e se torna sincrético, revelando talvez que, no sobrenatural, nada é impossível. A linguagem religiosa de nosso país é, pois, uma linguagem de relação e de ligação. Um idioma que busca o meio-termo, o meio-caminho, a possibilidade de salvar todo o mundo e de em todos os locais encontrar alguma coisa boa e digna. Uma linguagem, de fato, que permite a um povo destituído, que não consegue comunicar-se com seus representantes legais, falar, ser ouvido e receber os deuses em seu próprio corpo" (*O que faz o brasil Brasil?*, Rocco, Rio de Janeiro 1986, 117).

5. A contribuição civilizatória das religiões afro-brasileiras

Especialmente importante é a contribuição civilizatória trazida pelas religiões afro (nagô, candomblé, macumba e outras) que aqui se enriqueceram com os elementos encontrados, sincretizando-os a partir de suas próprias matrizes africanas. Sua teologia é rica; povoa a natureza de energias; cada ser humano pode ser um incorporador eventual da divindade em benefício dos outros. Negados socialmente, desprezados politicamente, perseguidos religiosamente, as religiões afrobrasileiras devolveram auto-estima à população negra, ao afirmar que os orixás africanos os enviaram a estas terras para ajudar os necessitados e para impregnar de axé (energia cósmica e sagrada) os ares do Brasil. Apesar de escravos, cumpriam uma missão transcendente e de grande significação histórica.

Foram os negros e os indígenas que conferiram e conferem uma marca mística à alma brasileira, encheram e enchem de magia nosso cotidiano, tão sombrio e pesado para a grande maioria da população. Todos sabem-se acompanhados pelos santos e santas fortes, pelos orixás e pela mão providente de Deus, que não deixa que tudo se perca e se frustre definitivamente. Para tudo há um jeito e existe uma saída benfazeja. Vigora sempre um excesso de sentido para além de todas as catástrofes pessoais. Por isso há leveza, humor, sentido de festa em todas as manifestações populares.

6. Brasil: a nova Roma nos trópicos

O futuro religioso do Brasil não será, provavelmente, o seu passado católico. Será, possivelmente, a criação sincrética de uma nova espiritualidade ecumênica que conviverá com as diferenças (a tradição evangélica em ascensão, o pentecostalismo, o kardecismo e outras religiões orientais), mas na unidade da mesma percepção do Divino e do Sagrado que impregna o cosmos, a história humana e a vida de cada pessoa. Importa recordar que o cristianismo atual é fruto de um imenso sincretismo, negado pelas mentes oficialistas, avessas à verdade histórica, mas que se teceu com elementos do judaísmo palestinense e da diáspora, pela cultura grega, romana, bizantina, anglo-saxã, medieval e moderna. Foi sabedoria dos primeiros papas e teólogos, especialmente o Papa Gregório I e Santo Agostinho por terem aberto a mensagem cristã à assimilação destas culturas a partir de suas próprias raízes.

A Roma imperial não seguiu outra política. Submetia politicamente todos os povos que conseguia mas sempre lhes respeitava as religiões e os cultos. O panteão romano representa o mais belo exemplo de sincretismo positivo: nele figuravam todas as divindades e heróis do Império, também Javé e Jesus Cristo.

Com o declínio da hegemonia romano-católica a nível mundial, e por viverem na América Latina a metade de todos os católicos e de serem os brasileiros majoritariamente desse credo, sincretizados com outras expressões religiosas e espirituais, pode o Brasil postular ser a nova Roma dos trópicos, aberta, ecumênica, espiritual e mística. Nas palavras entusiastas de Darcy Ribeiro, no entardecer de sua vida: "Na verdade das coisas, o que somos é a nova Roma. Uma Roma tardia e tropical. O Brasil já é a maior das nações neolatinas, pela magnitude populacional e começa a sê-lo também por sua criatividade artística e cultural... Estamos nos construindo na luta para florescer amanhã como uma nova civilização mestiça e tropical, orgulhosa de si mesma. Mais alegre porque mais sofrida. Melhor, porque incorpora em si mais humanidade. Mais generosa, porque aberta à convivência com todas as raças e todas as culturas e porque assentada na mais bela e luminosa província da Terra" (*O povo brasileiro*, Companhia das Letras, São Paulo 1995, 448-449).

O Brasil dos primeiros missionários franciscanos e jesuítas nasceu sob a inspiração utópica de refazimento do humano, utopia frustrada e realizada ao avesso, pois aqui se cristalizou uma herança de exclusão negadora de todo o humano. Mas ficaram as utopias. Elas nunca morrem. Representam sempre uma convocação a todos os grandes espíritos, de ontem, de hoje e de amanhã, para que aproximem a realidade ao sonho e tornem possível o impossível.

Por ocasião da primeira visita do Papa João Paulo II ao Brasil, em 1980, numa página antológica sobre "A utopia Brasil" conclamava, quase desesperado, o mesmo Darcy Ribeiro:

"Venha a nós Pastor das Gentes, para, juntos, com o coração incendido da fé dos nossos falidos profetas utópicos, edificar, aqui e agora, o paraíso henricano. Singelo Paraíso em que todos comam todo dia; morem decentemente; estudem o primário completo; sejam socorridos e tratados nas dores maiores; tenham um emprego permanente, por humilde que seja; e não morram ao desamparo na velhice. Além destas grandes conquistas primaciais que hoje não estão nem visíveis no horizonte de esperanças mais longínquas da maioria dos brasileiros, temos outras aspirações. Quiséramos poder pensar, falar e escrever sem sermos premiados nem punidos por nossas idéias. Também quiséramos, como todo povo civilizado, viver em liberdade, debaixo do império da lei, governado por autoridades eleitas, sem ameaças de golpes e de violências repressivas. Aspiramos, por igual, que cada brasileiro possa viver sua vida e buscar sua felicidade sem medo da polícia nem dos bandidos. Ouça, Santo Padre, o clamor do povo que o aclama. Bendiga esta católica cristandade neolatina de ultramar, vestida de carnes morenas de negros e de índios. Veja, é o povo de Deus que só pede a utopia: o singelo paraíso terrenal do Espírito Santo" (prefácio ao livro de L. Boff, *O caminhar da Igreja com os oprimidos*, Vozes, Petrópolis 1980, 19-20). Essa inspiração utópica sustenta as lutas populares e anima o projeto-Brasil novo e alternativo a ser construído com paixão e luta.

Assim o queira Deus.

XI
*A contribuição do Brasil ao processo
de globalização*

Um país continental como o Brasil, aquinhoado com os mais complexos e ricos ecossistemas do Planeta, com uma experiência civilizacional singular que costura as mais diferentes lógicas possibilitando a convivência de duras contradições, naturalmente tem uma contribuição considerável a dar ao processo de globalização. Antes de inventariarmos algumas indicações, importa não perdermos de vista a radicalidade inédita de nosso tempo.

1. A nova centralidade: o futuro do Planeta

O *punctum stantis et cadentis*, vale dizer, a questão axial, não é que futuro possui o projeto-Brasil nem a eventual contribuição que nossa experiência histórica pode oferecer à humanidade. Chegamos a um ponto crucial em que o futuro da nave-espacial-Terra, dos tripulantes e passageiros não é mais, como outrora, assegurado. Temos condições técnicas de devastar a biosfera, impossibilitando a aventura humana. Esta é a nova radicalidade que relativiza todas as demais questões no sentido de fazê-las menores e no sentido de colocá-las todas em relação a ela. A verdadeira questão que nos deve ocupar é então: em que medida garantimos a sobrevivência da Terra com seus ecossistemas e preservamos as condições de vida e de desenvolvimento da espécie *homo sapiens et demens*. Em que medida o Brasil como nação e como cultura pode contribuir para o salvamento da vida e do Planeta. Estamos convencidos de que somos detentores de algumas qualidades que poderão ajudar poderosamente os humanos a definirem um caminho de benevolência e de sobrevivência. Ademais, sempre esteve presente no imaginário social brasileiro a convicção de que temos um compromisso com o futuro e de que somos uma nação de futuro.

2. As contribuições do Brasil à globalização

Nesse sentido queremos apresentar alguns pontos que nos parecem relevantes. Anteriormente já sinalizamos elementos ecológicos ao mundo globalizado; não cabe repeti-los. Agora restringimo-nos às contribuições derivadas de nossa experiência cultural.

a) *Visão relacional da realidade.* Somos um povo com profundas desigualdades sociais e fortes hierarquizações. Tal situação seria propícia a revoluções violentas que ocorrem, normalmente, quando setores fortes da sociedade civil derrubam aparelhos de Estado e assumem o poder. A persistente dominação impediu entre nós a constituição de uma sociedade civil sustentável e obrigou a permanente negociação e a conciliação dos opostos. Desenvolveu-se, no Brasil, uma cultura da relação e das alianças que amaciam a dureza da dominação pela via da política e da economia através dos elos de família, das amizades, do compadrio, das malandragens e dos jeitinhos. Via de regra, evitam-se os radicalismos e se prefere o caminho do meio, busca-se a mediação, opta-se pelo gradualismo e se faz muita conversa. As várias lógicas, do público (as normas e leis universais para os indivíduos), do privado (a informalidade e cordialidade entre as pessoas e as famílias) e do mágico-religioso (as festas, os ritos e as graças alcançadas), se inter-relacionam, permitindo ao ser humano movimentar-se sem grandes violências destruidoras. A mestiçagem de nosso povo, pela qual todas as raças se relacionaram para além dos limites de classe e da hierarquia, é fruto desta cultura relacional. Ela se expressa também em nossa culinária do arroz e do feijão, do leite com café, do queijo com goiabada e do doce com o salgado. Particularmente a cozinha baiana revela esta miscigenação de todos os ingredientes, expressão da miscigenação maior das raças.

Essa cultura relacional se entronca com aquilo que dissemos anteriormente: a estrutura básica do universo é a relação de tudo com tudo, é a coexistência de todos sem exclusão, é a capacidade de urdir uma ordem a partir do caos. No processo de globalização, no qual culturas e povos tão diferentes e tradições e cosmovisões tão diversos se encontram, não se manterá a coesão mínima e a convergência necessária para um propósito comum sem uma cultura relacional e um hábito permanente de coexistência, de tolerância e de composição.

O Brasil, por essa sua maneira de somar, juntar, relacionar e sintetizar, poderá oferecer um contributo indispensável a essa demanda.

b) *O jeitinho e a malandragem como navegação social*. O jeitinho e a malandragem são duas criações das mais originais da cultura brasileira. Ambos nasceram do coração de nossa própria realidade contraditória como um modo de navegação social, no dizer do mestre Roberto da Matta (*O que faz o brasil Brasil?*, Rocco, Rio de Janeiro 1986, 93-105). O escravo era regido pelo "não"; nunca podia dizer "não" ao seu senhor; caso contrário, apanharia; como faz para realizar seus propósitos sem contrariar o patrão? O cidadão comum ouve a toda hora "não pode", pois a legislação é desligada da prática comum e a burocracia é feita para não funcionar para os pobres, pois lhes colocam mil exigências que não podem ou não sabem cumprir. Nos conflitos, em vez de valer a lei, vale o mandonismo de quem grita: "sabe com quem está falando?" Como sair desse impasse que atravanca a vida? Ir para o confronto ou desobedecer só piora sua situação.

O jeitinho é a forma sábia e pacífica de combinar os interesses pessoais com a rigidez da norma; é o modo de contrabalancear a correlação desigual de forças, tirando vantagens da fraqueza; é a maneira de conciliar todos os interesses sem que ninguém saia prejudicado. Isso acontece quando se descobre ou inventa um elo comum entre o solicitante e o representante da ordem (a mesma cidade, o mesmo time de futebol, a mesma escola de samba, a mesma novela vista por ambos, alguma pessoa conhecida, a devoção a um mesmo santo ou a pertença à Igreja). Desta forma se junta lei com a realidade social diária; permite-se uma navegação social tortuosa, mas pacífica.

Especialista no jeitinho é o malandro, pois sabe utilizar estórias, artifícios e uma boa conversa para atingir seus fins. "A malandragem" – comenta Roberto da Matta – "é um modo, jeito ou estilo profundamente original e brasileiro de viver, e, às vezes, de sobreviver num sistema em que... as leis formais da vida pública nada têm a ver com as boas regras da moralidade costumeira que governam a nossa honra, o respeito e, sobretudo, a lealdade que devemos aos amigos, aos parentes e aos compadres. Num mundo tão profundamente dividido, a malandragem e o jeitinho promovem uma esperança de tudo juntar numa totalidade harmoniosa e concreta" (*O que faz brasil Brasil?*, *op. cit.*, 104-105).

Novamente essa qualidade nacional é extremamente útil e até imprescindível na globalização na qual tantos interesses se sobrepõem, opõem e contrapõem. Pelo jeitinho eles se compõem e se articulam numa totalidade maior que deve incluir a todos. Sem o jeitinho, a dialogação permanente, a busca da junção entre o "não pode" e o "pode" dificilmente se chegará a uma ordem social dinâmica e humanizada. Não bastam leis justas e normas que visam a eqüidade. Elas contemplam sempre o universal. O ser humano, entretanto, é pessoa, nó-de-relações, sempre complexa, cheia de propósitos e singular. O jeitinho é a forma de conciliar o universal com o singular em benefício da fluidez e da leveza da vida social e pessoal.

c) *Cultura multiétnica e multirreligiosa*. Somos um país para o qual afluíram muitíssimas das raças da Terra. Aqui elas se miscigenaram sem maiores preconceitos, fazendo do mulato a cristalização mais perfeita do encontro das três raças matriciais de nossa brasilidade: o branco, o negro e o índio. Ele representa a lógica prevalente da mentalidade brasileira que é a busca eqüidistante dos extremos, a associação ao intermediário e conciliador. Por isso a mestiçagem é louvada e não discriminada.

O *Manifesto Antropofágico* de 1928 bem o compreendeu e expressou: o estômago brasileiro digere todas as influências externas, gestando uma cultura singular e bem nossa. A referência não é o europeu nas pessoas emblemáticas do capitão-mor Cabral e do cronista Caminha, mas os tupinambás que numa antropofagia ritual deglutiram nosso primeiro bispo Sardinha.

A expectativa assimilacionista aponta para uma crescente branquização dos negros a par também de uma crescente negrização dos brancos, vale dizer, uma geral morenização dos brasileiros por um imperativo de combinação genética. A partir desse fenômeno postulou-se uma ideológica democracia racial brasileira; ela deixa de ser ideológica e encobridora dos conflitos, especialmente de caráter econômico se for acoplada, de fato, a uma democracia social e participativa.

Junto com o caráter multiétnico de nossa sociedade vigora também o caráter multirreligioso. As religiões e as várias expressões místicas e espirituais convivem com relativa paz e tolerância. Nunca conhecemos guerras religiosas. Como já o dissemos no capítulo anterior, não somos fechados e dogmáticos, mas naturalmente abertos e ecumênicos na convicção de que todas as religiões são portadoras de uma bondade básica, vinda do próprio Deus e conduzindo para o coração de Deus.

Esse ensaio de diversidade na unidade pode constituir um referencial ao processo de globalização. As principais áreas de atrito no mundo têm por base uma questão religiosa. Graçam os fundamentalismos e se difundem os tradicionalismos religiosos. Muitas vezes é a forma como os povos ameaçados de desaparecimento reafirmam, pelo viés religioso, sua identidade e lutam por ela. O risco de guerras de civilizações pode significar guerra de religiões. Não são poucos os analistas mundiais que sustentam a tese: a paz religiosa pela tolerância e o ecumenismo é a base imprescindível para a paz política. Esta não se alcança sem previamente se assegurar aquela. Nesse sentido, o Brasil pode mostrar como as religiões mais diversas podem aqui florescer sem se hostilizarem fundamentalmente e todas elas servirem para alimentar uma aura de transcendência, tão necessária ao sentido da vida humana e da história.

d) *Criatividade do povo brasileiro*. A criatividade pertence à essência do ser humano, pois ele não é um ser que nasce pronto, mas deve sempre se fazer, exercendo sua liberdade e sua criatividade. Criatividade supõe capacidade de improvisação, descoberta de saídas surpreendentes e espontaneidade na ruptura de tabus ligados à tradição ou ao senso comum dominante. Sociedades racionalizadas e bem estruturadas como as européias e alhures revelam parca criatividade. Se uma iniciativa qualquer não seguir estritamente o combinado e planejado, tudo emperra e se desnorteia. É sinal que a criatividade murchou. Nesse sentido, um favelado brasileiro é muito mais criativo que qualquer cidadão europeu que freqüentou a universidade e se qualificou profissionalmente, mas se aferrou às normas e à lógica do caminho já convencionado. O favelado inventa mil formas de dar um jeito na vida, resistir, negociar, protelar e sobreviver, mantendo ainda o sentido de humor e de festa.

Essa criatividade se mostra nas artes, na música, nas imagens de propaganda e marketing. Bem dizia Celso Furtado: "Uma sociedade só se transforma se tiver capacidade para improvisar; ... ter ou não acesso à criatividade, eis a questão" (*O longo amanhecer*, Paz e Terra, Rio de Janeiro 1999, 79 e 67). Não nos falta capacidade de improvisação, falta-nos vontade dos governos de valorizar e aproveitar o enorme potencial criativo do povo e a capacidade de sua canalização racional em benefício de todos.

No mundo globalizado faz-se urgente a criatividade para dar uma moldura coerente e nova a esse fenômeno inédito. Há o risco de que seja enquadrado nos moldes do velho paradigma e da lógica dos interesses dos países mais fortes, saídos da Segunda Guerra Mundial e da Guerra Fria. A alta criatividade do povo brasileiro, sua inventividade e capacidade de improvisação podem estimular um *ethos* semelhante, necessário para que a era da globalização não seja mero prolongamento da era dos Estados-nações, mas realmente a nova etapa da humanidade, construindo um destino comum na mesma casa comum, a Terra.

e) *A aura mística da cultura brasileira.* Já o referimos anteriormente e cabe apenas enfatizar aqui a relevância social da dimensão mística da existência. A mística faz crer que existe um outro mundo dentro deste mundo e que o invisível faz parte do visível. E estas realidades se manifestam e mostram sua força na vida cotidiana, pois ajudam a enfrentar as dificuldades, os problemas da família, particularmente as questões de saúde, e, em geral, da vida. Finalmente a religião confere um sentido plenificador à história tão cheia de absurdos, sofridos na própria pele. Deus, seus santos, as divindades afro, as energias positivas e negativas são atores que influenciam a história. Há que se tomá-los a sério. Daí a aura de reverência e de respeito que pervade as dimensões da vida ligadas ao sagrado e ao religioso, às festas, às bênçãos, às romarias e às promessas. Crer e embeber as práticas, as artes e a cultura com tal mística significa romper com o mundo da pura razão, da funcionalidade das instituições e da lógica linear para a qual não há e não deve haver surpresas. Há que se abrir espaço para o imprevisto, para a magia e para o "milagre" de que as coisas podem, de repente, mudar e ganhar outra configuração que rasga um horizonte de esperança para a vida humana. Portanto, há que se assumir também a lógica do complexo, própria dos fenômenos vivos e dos sistemas abertos.

Essa aura mística é fundamental para um processo de globalização de rosto humano. Ele não pode ser apenas conduzido pela racionalidade instrumental-analítica e pelo discurso dos interesses. Seria demasiadamente pobre e rígida e não respeitaria a vida, sempre contraditória e estruturada como um sistema aberto. Faz-se mister incorporar o exercício da razão emocional, hermenêutica, simbólica e sacramental que dão conta da riqueza do espírito humano e de sua história, agora articulada num nível global. A mística permite ao ser humano ancorar-se num último sentido que liga e re-liga todas as coisas a uma Harmonia superior, chamada Deus, Fonte originária de todo ser. Ele se revela no coração humano na forma de entusiasmo, de um aconchego derradeiro, de sentimento de pertença ao todo e de responsabilidade ética por tudo o que existe e vive. Essa energia em nós é o que significa Deus.

Essa dimensão mística, comum ao povo brasileiro, assumida no processo de globalização, tornará, seguramente, mais irradiante e esperançador o futuro da Terra e da humanidade.

f) *O lado lúdico do povo brasileiro*. A conseqüência da criatividade e da mística é a leveza e o humor que marca a cultura brasileira. Há alegria no meio do sofrimento e sentido de festa no meio das tribulações. Isso porque vigora a crença de que a vida vale mais que todas as coisas particulares e que essa vida se inscreve sob o arco-íris da benevolência divina. Ela, por pior que seja, vale a pena ser assumida, amada e celebrada. Por isso tudo é motivo para a gozação, o humor e a festa. Tal atmosfera confere um caráter de jovialidade ao modo de ser brasileiro que se revela pelo sentido de hospitalidade e de acolhida das pessoas, especialmente estrangeiras. Somos orgulhosos do que somos e do que temos mas somos simultaneamente entusiastas das coisas que vêm de fora. Nunca perdemos a capacidade de nos extasiar e de magnificar diante de qualquer coisa, especialmente nova e inovadora.

Essa dimensão é igualmente necessária ao processo de globalização. Sem senso de humor e sem o lúdico as contradições oneram as relações sociais, os dramas viram tragédias que afogam a esperança e tiram o sentido da vida.

g) *Um povo de esperança.* Uma virtude é cardeal para a alma brasileira: a esperança. Ela é a última que morre. É por ela que temos a confiança de que Deus escreve direito por linhas tortas. A esperança projeta continuamente visões otimistas. "Um dia a coisa muda, se Deus quiser", ouve-se freqüentemente na boca do povo. Músicas, modinhas de viola, sambas e canções religiosas estão impregnadas de esperança. Assim cantam as comunidades eclesiais de base: "virá um dia em que todos, ao levantar a vista, veremos nesta terra reinar a liberdade". Essa aura de esperança permite relativizar e tornar suportáveis os dramas que milhões padecem. Por causa da esperança de que o Inesperado pode ocorrer, resistem e se organizam para torná-lo real e não deixá-lo apenas no mundo da utopia.

Pesa sobre o processo de globalização, pela via predominante do econômico-financeiro, a nuvem negra da desesperança para os pobres do mundo por causa dos altos níveis de exclusão que ela provoca. Se não houver esperança de dias melhores através de outras formas mais solidárias de globalização é possível a violência da insurreição e da repressão, de dimensões inimagináveis. Daí ser importante a esperança e a introdução das mudanças urgentes que fundamentem essa esperança para que não se transforme em pura alienação e quimera.

A carga utópica que caracteriza a cultura brasileira e que se traduz numa inarredável confiança no futuro como algo promissor e benfazejo poderá ajudar a remover a sensação de impotência, a superar a cultura do cinismo e a reforçar um horizonte utópico imprescindível para a continuidade da aventura humana por esse Planeta azul-branco, nossa casa comum.

Conclusão
A viabilidade do caminho alternativo brasileiro

O Brasil tem todas as condições ecológicas, culturais e técnicas para trilhar um novo caminho que signifique a liquidação da herança histórica de sofrimento, suor e lágrimas que lastreiam sua trajetória por cinco séculos. Recusamo-nos a aceitar que todo esse oceano de sofrimento seja em vão. Numa perspectiva mais profunda da história, ele deve significar o acúmulo para um grande salto para frente e para cima, cujos beneficiários não serão apenas os brasileiros mas os seres humanos, a humanidade globalizada.

Nos primórdios da colonização, o cronista inaugural Caminha escreveu que aqui "em se plantando tudo dá". Os cinco séculos de história à luz do paradigma europeu mostraram o acerto de tal afirmação. Aqui tudo pode dar e deu para ser a mesa posta para as fomes do mundo inteiro. Por que não irá dar certo um projeto-Brasil novo, democrático, social, popular, ecológico, ecumênico e espiritual?

O povo brasileiro se habituou a "enfrentar a vida" e conseguir tudo "na luta", quer dizer, com dificuldade e muito trabalho. Por que não irá "enfrentar" também esse grande e derradeiro desafio colocado em seu ca-

123

minho? Como não conquistá-lo "na luta", na consciência solidária, na organização, na vontade de empoderar-se, chegar ao poder de Estado para dar-lhe seu verdadeiro sentido social a fim de fazer as mudanças necessárias, conferir-lhes sustentabilidade e garantir um futuro para todos?

Esse dia se aproxima. Por duas vezes quase o novo chegou lá, no poder central. Diminui cada vez mais o arsenal de instrumentos com os quais as elites dominantes tentam se eternizar no poder sobre o povo e contra o povo.

Sentimo-nos representados nos versos do cantador: "Só é cantador quem traz no peito o cheiro e a cor de sua terra/ a marca de sangue de seus mortos/ e a certeza de luta de seus vivos" ("A saga da Amazônia" de Vital Faria). Esse cantador representa todos os militantes de um outro Brasil, que no meio da luta canta e em plena noite sonha com o novo alvorecer. Essa luta, num dia não muito distante, será vitoriosa. O país então florescerá no fulgor de seu povo multicolorido tal qual a paisagem que enche nossos olhos de encantamento. Valem as palavras de um dos principais protagonistas do projeto-Brasil novo: "Podem cortar uma, duas e todas as flores. Mas não poderão impedir a chegada da primavera" (Lula).

As águas de março já se foram. As festas juninas já passaram. O inverno está chegando ao fim. É tempo de primavera que implodirá e explodirá de sentido e de alegria para todos. Depois de tanta resistência, de tanta luta e de tanta espera, enfim no horizonte o Brasil que queremos.

Referências bibliográficas

Albuquerque, M.M. de, *Pequena história da formação social brasileira*, Graal, Rio de Janeiro 1991.

Alencar, C., *BR 500. Um guia para a redescoberta do Brasil*, Vozes, Petrópolis 1999.

Azevedo, Th., *A religião civil brasileira, um instrumento político*, Vozes, Petrópolis 1981.

Barbosa, L., *O jeitinho brasileiro*, Campus, Rio de Janeiro 1992.

Beiguelman, P., *Formação política do Brasil*, Pioneira, São Paulo 1976.

Benjamin, C. e Bacelar, T.A., *Brasil: reinventar o futuro*, Sindicato dos Engenheiros no Estado do Rio de Janeiro, Rio de Janeiro 1995.

Benjamin, C., e outros, *A opção brasileira*, Contraponto, Rio de Janeiro 1998.

Boff, L., "O futuro do cristianismo no Brasil: fonte ou espelho?", em *Ética da vida*, Letraviva, Brasília 1999, 159-171.

Beozzo, J.O., *A Igreja do Brasil*, Vozes, Petrópolis 1994.

Bosi, A., *Dialética da colonização*, Companhia das Letras, São Paulo 1992.

Buarque, C., *A segunda abolição*, Paz e Terra, Rio de Janeiro 1999.

—, *O colapso da modernidade brasileira – e uma proposta alternativa*, Paz e Terra, Rio de Janeiro 1991.

—, *A revolução na esquerda e a invenção do Brasil*, Paz e Terra, Rio de Janeiro 1992.

Buarque de Holanda, S., *Raízes do Brasil*, José Olympio, Rio de Janeiro 1936.

Bursztyn, M., *O país das alianças. As elites e o continuísmo no Brasil*, Vozes, Petrópolis 1990.

Carone, E., *Revoluções do Brasil contemporâneo*, DESA, São Paulo 1965.

Casali, A., *Elite intelectual e restauração da Igreja*, Vozes, Petrópolis 1995.

Chauí, M., "500 anos. Cultura e política no Brasil", em *Revista Crítica de Ciências Sociais 38,* 1993, 49-55.

Comblin, J., "Situação histórica do catolicismo no Brasil", em *Revista Eclesiástica Brasileira* 1966, 574-601.

—, "Tipologia do catolicismo no Brasil", em *Revista Eclesiástica Brasileira* 1968, 46-73.

Cruz Costa, J., *Contribuição ao estudo das idéias no Brasil*, José Olympio, Rio de Janeiro 1956.

—, *Carnavais, malandros e heróis. Para uma sociologia do dilema brasileiro*, Zahar, Rio de Janeiro 1979.

Demo, P., *Cidadania menor. Algumas indicações quantitativas de nossa pobreza política*, Vozes, Petrópolis 1992.

Dreifuss, R.A., *O jogo da direita*, Vozes, Petrópolis 1989.

Dussel, E., *1492: O encobrimento do outro*, Vozes, Petrópolis 1993.

Faoro, R., *Os donos do poder*, Globo, Rio de Janeiro 1958.

Fausto, B., *História geral da civilização brasileira (3 vol.)*, DIFEL, São Paulo 1981.

Freyre, G., *Casa Grande & Senzala*, José Olympio, Rio de Janeiro 1936.

Furtado, C., *Formação econômica do Brasil*, Fundo de Cultura, Rio de Janeiro 1964.

—, *Brasil: a construção interrompida*, Paz e Terra, Rio de Janeiro 1993.

—, *O longo amanhecer. Reflexões sobre a formação do Brasil*, Paz e Terra, Rio de Janeiro 1999.

—, *O capitalismo global*, Paz e Terra, Rio de Janeiro 1999.

Genro, T., *O futuro por armar. Democracia e socialismo na era globalitária*, Vozes, Petrópolis 1999.

Gomes de Souza, L.A., *Os estudantes católicos e a política*, Vozes, Petrópolis 1984.

Bibliografia

Guilherme W., *Introdução ao estudo das contradições sociais no Brasil*, ISEB, Rio de Janeiro 1963.

Hoornaert, E., *O cristianismo moreno do Brasil*, Vozes, Petrópolis 1991.

—, *Formação do catolicismo brasileiro – 1550-1800*, Vozes, Petrópolis 1974.

Leers, B., *Jeito brasileiro e norma absoluta*, Vozes, Petrópolis 1982.

Matta, R. da, *O que faz o brasil Brasil?*, Rocco, Rio de Janeiro 1986.

Mendes, C., *Memento dos vivos. A esquerda católica no Brasil*, Tempo Brasileiro, Rio de Janeiro 1966.

Moreira-Alves, M., *L'eglise et la politique au Brésil*, Cerf, Paris 1964.

Prado Junior, C., *Formação do Brasil contemporâneo*, Brasiliense, São Paulo 1945.

—, *A revolução brasileira*, Brasiliense, São Paulo 1966.

Ribeiro, D., *O povo brasileiro. A formação e o sentido do Brasil*, Companhia das Letras, São Paulo 1995.

Ribeiro, H., *A identidade do brasileiro: capado, sangrado e festeiro*, Vozes, Petrópolis 1994.

Ribeiro de Oliveira, P., *Religião e dominação de classe. Gênese, estrutura e função do catolicismo romanizado no Brasil*, Vozes, Petrópolis 1986.

Rodrigues, J.H., *Conciliação e reforma no Brasil*, Nova Fronteira, Rio de Janeiro 1982.

—, *Brasil e África: outro horizonte*, Vozes, Petrópolis 1982.

Sampaio, P.A., *Entre a nação e a barbárie. Os dilemas do capitalismo dependente*, Vozes, Petrópolis 1999.

Santos, Theotonio dos, *Evolução histórica do Brasil. Da Colônia à Nova República*, Vozes, Petrópolis 1995.

—, *O caminho brasileiro para o socialismo*, Vozes, Petrópolis 1986.

Schwartzman, S., *Bases do autoritarismo brasileiro*, Campus, Rio de Janeiro 1982.

Sodré, N.W., *Formação da sociedade brasileira*, José Olympio, Rio de Janeiro 1946.

Souza Lima, L.G., *Evolução política dos católicos e da Igreja no Brasil*, Vozes, Petrópolis 1979.

Vidal, J.W., *De estado servil a nação soberana*, Vozes, Petrópolis 1987.

EDITORA VOZES

SEDE
PETRÓPOLIS, RJ
Internet: http://www.vozes.com.br
(25689-900) Rua Frei Luís, 100
Caixa Postal 90023
Tel.: (0xx24) 237-5112
Fax: (0xx24) 231-4676
E-mail: vendas@vozes.com.br

UNIDADE DE VENDA NO EXTERIOR
PORTUGAL
Av. Miguel Bombarda, 21 A – Esquina República
1050 – Lisboa
Tel.: (00xx351 21) 355-1127
Fax: (00xx351 21) 355-1128
E-mail: vozes@mail.telepac.pt

UNIDADES DE VENDA NO BRASIL
APARECIDA, SP
Varejo
(12570-000) Centro de Apoio aos Romeiros
Setor "A", Asa "Oeste"
Rua 02 e 03 – lojas 111/112 e 113/114
Tel.: (0xx12) 564-1117
Fax: (0xx12) 564-1118

BELO HORIZONTE, MG
Atacado e varejo
(30130-170) Rua Sergipe, 120 – loja 1
Tel.: (0xx31) 226-9269
Tel.: (0xx31) 226-9010
Fax: (0xx31) 222-7797
Varejo
(30190-060) Rua Tupis, 114
Tel.: (0xx31) 273-2538
Fax: (0xx31) 222-4482

BETIM, MG
Parceira Comercial Aletheia Livraria e Papelaria Ltda.
Campus PUC Minas
(32630-000) Rua do Rosário, 1081 – Angola
Tel.: (0xx31) 532-4373
Fax: (0xx31) 595-8519

BRASÍLIA, DF
Atacado e varejo
(70730-516) SCLR/Norte, Q 704, Bl. A, nº 15
Tel.: (0xx61) 326-2436
Fax: (0xx61) 326-2282

CAMPINAS, SP
Varejo
(13015-002) Rua Br. de Jaguara, 1164
Tel.: (0xx19) 231-1323
Fax: (0xx19) 234-9316

CONTAGEM, MG
Parceira Comercial Aletheia Livraria e Papelaria Ltda.
Campus PUC Minas
(32285-040) Rua Rio Comprido, 4580 – Bairro Cinco
Tel.: (0xx31) 352-7818
Fax: (0xx31) 352-7919

CUIABÁ, MT
Atacado e varejo
(78045-750) Rua Marechal Floriano, 611 – sl. 2
Tel.: (0xx65) 623-5307
Fax: (0xx65) 623-5186

CURITIBA, PR
Atacado e varejo
(80020-000) Rua Voluntários da Pátria, 41 – loja 39
Tel.: (0xx41) 233-1392
Fax: (0xx41) 224-1442

FLORIANÓPOLIS, SC
Atacado e varejo
(88010-030) Rua Jerônimo Coelho, 308
Tel.: (0xx48) 222-4112
Fax: (0xx48) 222-1052

FORTALEZA, CE
Atacado e varejo
(60025-100) Rua Major Facundo, 730
Tel.: (0xx85) 231-9321
Fax: (0xx85) 221-4238

GOIÂNIA, GO
Atacado e varejo
(74023-010) Rua 3, nº 291
Tel.: (0xx62) 225-3077
Fax: (0xx62) 225-3994

JUIZ DE FORA, MG
Atacado e varejo
(36010-041) Rua Espírito Santo, 963
Tel.: (0xx32) 215-9050
Fax: (0xx32) 215-8061

LONDRINA, PR
Atacado e varejo
(86010-390) Rua Piauí, 72 – loja 1
Tel.: (0xx43) 337-3129
Fax: (0xx43) 325-7167

MANAUS, AM
Atacado e varejo
(69010-230) Rua Costa Azevedo, 91 – Centro
Tel.: (0xx92) 232-5777
Fax: (0xx92) 233-0154

PETRÓPOLIS, RJ
Varejo
(25620-001) Rua do Imperador, 834 – Centro
Telefax: (0xx24) 237-5112 R. 245

PORTO ALEGRE, RS
Atacado
(90035-000) Rua Ramiro Barcelos, 386
Tel.: (0xx51) 225-4879
Fax: (0xx51) 225-4977
Varejo
(90010-273) Rua Riachuelo, 1280
Tel.: (0xx51) 226-3911
Fax: (0xx51) 226-3710

RECIFE, PE
Atacado e varejo
(50050-410) Rua do Príncipe, 482
Tel.: (0xx81) 423-4100
Fax: (0xx81) 423-7575
Varejo
(50010-120) Rua Frei Caneca, 12, 16 e 1
Bairro Santo Antônio
Tel.: (0xx81) 224-1380

RIO DE JANEIRO, RJ
Atacado
(20040-009) Av. Rio Branco, 311 sala 605 a 607 – Centro
Tel.: (0xx21) 215-6386
Fax: (0xx21) 533-7670
Varejo
(20031-201) Rua Senador Dantas, 118-I, esquina
com Av. Almirante Barroso, 02
Tel.: (0xx21) 220-8546
Fax: (0xx21) 220-6445

SALVADOR, BA
Atacado e varejo
(40060-410) Rua Carlos Gomes, 698-A
Tel.: (0xx71) 329-5466
Fax: (0xx71) 329-4749

SÃO LUÍS, MA
Varejo
(65010-440) Rua da Palma, 502 – Centro
Tel.: (0xx98) 221-0715
Fax: (0xx98) 231-0641

SÃO PAULO, SP
Atacado
Rua dos Parecis, 74 – Cambuci
01527-030 – São Paulo, SP
Tel.: (0xx11) 3277-6266
Fax: (0xx11) 3272-0829
Varejo
(01006-000) Rua Senador Feijó, 168
Tel.: (0xx11) 3105-7144
Fax: (0xx11) 3107-7948
Varejo
(01414-000) Rua Haddock Lobo, 360
Tel.: (0xx11) 256-0611
Fax: (0xx11) 258-2841
Varejo (PUC/SP)
(05014-001) Rua Monte Alegre, 984 – 1º andar
Perdizes
Tel. e Fax: (0xx11) 3670-8194

xx – CÓDIGO DAS PRESTADORAS DE SERVIÇOS TELEFÔNICOS PARA LONGA DISTÂNCIA.